D0884725

CURSO INTENSIVO DE ESPAÑOL

Libro 2

INSTITUTO MEXICANO NORTEAMERICANO
DE RELACIONES CULTURALES, A.C.
Hamburgo 115 México 6, D. F.

Fomento Educacional, A. C.
Río Marne Nº 19-402
México 5, D. F.

Primera edición: febrero de 1959

Segunda edición modificada y adicionada: julio de 1965

12a. reimpresión de la segunda edición modificada y adicionada:
diciembre 8, 1975

Bajo la dirección del Instituto Mexicano Norteamericano de Relaciones Culturales, A. C., colaboraron en escribir este texto:

Primera edición: Guillermo Castelazo
Ricardo F. Arzac

Segunda edición modificada y adicionada:

Jesús Ríos Garza
Rogerio García Mendoza

LEARNING A FOREIGN LANGUAGE

In learning to speak a new language, the student must first understand the distinctive features of the stream of speech and approximate their production. He must then learn the features of arrangement that constitute the structure of the language.

As a child the native speaker has acquired the sounds and structure of his language as unconscious habits. The adult learner of a language must master these habits.

In using this text the student should:

1- Listen to the teacher and imitate his pronunciation.

2- Practice the patterns of the language in class and at home until they are automatic.

3. Review the grammatical patterns by studying the lists in the Appendix.

4. Practice whenever possible with native speakers, records, or tapes. Listen to the radio, watch television, and attend movies in the language being studied.

5. Remember that HOW to say something is more important that WHY it is said in a certain way.

LECCIÓN I

(1ª Lección)

EJERCICIO I

Llene los espacios con la forma correcta del verbo en presente.

1. La secretaria del gerente ____________ el teléfono en la oficina.
(contestar)

2. ¿____________ Ud. por los niños al colegio? Sí, ____________ por
(pasar) (pasar)
los niños a las cinco.

3. ¡Tú siempre ____________ tarde a clase!
(llegar)

4. Las hermanas de Anita ____________ muy bien.
(bailar)

5. ¿Cuándo ____________ Uds. a trabajar en la fábrica? ____________
(empezar) (empezar)
la semana que entra.

6. ¿Le debes dinero al Sr. Vega? No, no le ____________.
(deber)

7. Nosotros no ____________ en casa entre semana.
(comer)

8. Mis padres ____________ muchos regalos de Navidad.
(recibir)

9. El cine Alameda ____________ una película muy buena hoy.
(exhibir)

10. ¿____________ Ud. el nombre del abogado? No, no lo ____________.
(recordar) (recordar)

11. ¡Uds. nunca ____________ la puerta!
(cerrar)

12. Nuestros amigos ____________ en diciembre.
(volver)

13. ¿____________ Uds. ir al teatro? Sí, ____________ ir el
(querer) (querer)
sábado.

14. Gloria ____________ diez horas todos los días.
(dormir)

15. ¿____________ Ud. el café con leche o con crema? Lo ____________
(preferir) (preferir)
con crema.

16. ¿Dónde consigues esas revistas? Las ____________ en una librería del
(conseguir)
centro.

17. Esta máquina de escribir no ____________.
(servir)

18. ¿Das propinas en el hotel? Sí, sí ____________.
(dar)

19. ¿____________ Ud. la dirección de la Srita. Pérez? No, no la ____________.
(saber) (saber)

20. El maestro ____________ que yo nunca ____________ mi libro.
(decir) (traer)

21. ¿____________ Uds. perro en su casa? Sí, ____________ uno muy grande.
(tener) (tener)

22. ¿De dónde vienes? ____________ de la biblioteca.
(venir)

23. Alicia y Jorge ____________ a los conciertos de la sinfónica.
(ir)

24. Esa compañía ____________ productos americanos.
(distribuir)

EJERCICIO II

Cambie las oraciones a preguntas, según los ejemplos.

a: Me siento mal.

¿Se siente mal? **o:** ¿Te sientes mal?

b: Mis suegros se acuestan tarde.

¿Se acuestan tarde tus (sus) suegros?

1. Nos desayunamos a las ocho y media.
2. Mis hijas se peinan antes de irse a la escuela.
3. El Sr. Ortiz se va a su despacho antes de las nueve.
4. Me baño en la noche.
5. Hay que levantarse temprano mañana.
6. Pedro no puede inscribirse en el Politécnico este año.
7. Nunca nos sentamos cerca de la ventana.
8. Mi socio se llama Carlos Gutiérrez Guerrero.
9. Me despierto a las seis.

10. Mis abuelitos se duermen a las diez.
11. Las enfermeras se visten de blanco.
12. Teresa no se siente bien.

EJERCICIO III

Conteste las preguntas.

1. ¿Se despierta Ud. antes de las siete?
2. ¿Cuándo piensan Uds. inscribirse en la Universidad?
3. ¿Cómo se llama Ud.?
4. ¿Se sienten Uds. bien?
5. Siempre te sientas en ese lugar, ¿no?
6. ¿Cuándo se va Laura a los Estados Unidos?
7. ¿A qué horas se acuestan Uds.?
8. ¿Se peinan tus hermanas después de vestirse?
9. ¿Se desayuna Ud. temprano?
10. ¿A qué hora te duermes?
11. Te levantas tarde los domingos, ¿verdad?
12. ¿Acaban de bañarse los niños?

EJERCICIO IV

Cambie las oraciones según los ejemplos.

a: José compra el periódico en la esquina.
Lo compra en la esquina.

b: El profesor va a traducirle las oraciones al Sr. Carter.
Va a traducírselas. **o:** Se las va a traducir.

c: Nos lavamos las manos antes de sentarnos a la mesa.
Nos las lavamos antes de sentarnos a la mesa.

d: Leo muchas novelas.
Leo muchas.

1. Obedezco las señales de tránsito.
2. Casi siempre vemos ese programa de televisión.
3. La maestra empieza a corregir los exámenes hoy.
4. Quiero comprar los muebles este mes.
5. El Lic. Galindo le manda los papeles a Ud. a las tres de la tarde.

6. Te devuelvo los discos el lunes.
7. ¿Me prestas tu encendedor?
8. Pensamos traerles el cheque a Uds. mañana.
9. Mi mamá nos sirve la comida muy temprano.
10. El Sr. Ortega les arregla el radio a los vecinos.
11. Elena le lava los platos a su tía.
12. La sirvienta les pone la mesa a los muchachos.
13. Mis hijos se lavan la cara en la mañana.
14. Roberto se pone el impermeable de su papá de vez en cuando.
15. Margarita le escribe una carta a su novio cada tercer día.
16. Le voy a comprar un collar de oro a mi esposa.
17. Hay mucha fruta en el refrigerador.
18. El banco me pide muchas referencias.

EJERCICIO V

Conteste las preguntas.

1. ¿Estudia física Fernando?
2. ¿Me espera Ud.?
3. ¿Quiénes barren los salones de clase?
4. María le escoge las corbatas a su esposo, ¿verdad?
5. ¿Cuándo piensas comprarle el regalo de cumpleaños a tu sobrina?
6. El contador les entrega su sueldo a los empleados los viernes, ¿no?
7. ¿Quién tiene que llevarnos al aeropuerto?
8. ¿Siempre me dices la verdad?
9. ¿Nunca te pones los zapatos negros?
10. ¿Se lavan Uds. los dientes después de comer?
11. ¿Debe Ud. mucho dinero?
12. ¿Dónde hay una farmacia cerca de aquí?

LECCIÓN II

(2ª Lección)

EJERCICIO I

Llene los espacios con la forma correcta de ESTAR, SER, HABER o TENER, en presente.

1. Las señoras ______________ sentadas y los señores ______________ de pie.
2. Estos refrescos no ______________ fríos.
3. El sofá ______________ verde y los sillones ______________ azules.
4. Juan ______________ alto y moreno. ______________ muy simpático.
5. ¿Dónde ______________ el diccionario? ______________ en el escritorio.
6. ¿ ______________ el Dr. López? No, no ______________ .
7. La clase ______________ en el Instituto. El Instituto ______________

   en la calle de Hamburgo 115.
8. ¿ ______________ muchos museos en la ciudad? Sí, ______________ muchos.
9. ______________ un mercado a dos cuadras de aquí.
10. ¿ ______________ casada Marta? No. ______________ soltera.
11. ¿ ______________ Uds. socios del club México? No, no ______________ .
12. ¿ ______________ Ud. ingeniero? No. ______________ comerciante.
13. ¿Qué ______________ eso? ______________ una falda.

    Y esto, ¿qué ______________ ? ______________ unas medias.
14. ¿Quiénes ______________ esos jóvenes? ______________ los hijos de Ofelia.
15. ¿De dónde ______________ Ud.? ______________ de Los Angeles.
16. La blusa no ______________ de algodón. ______________ de seda.
17. ______________ tuya esta cartera? No, no ______________ mía.
18. Guillermo dice que ______________ temprano.

    ______________ razón. Apenas ______________ las cuatro.
19. La Srita. Miranda ______________ veinticinco años.
20. ¿ ______________ Uds. sueño? Sí, ______________ mucho sueño.

    ______________ muy cansados.

21. El profesor de arte dice que esos cuadros ________________ muy buenos.

22. El desayuno ________________ muy sabroso.

23. Enrique ________________ muy gordo ahora.

24. Nuestra cocinera ________________ muy trabajadora.

EJERCICIO II **Cambie las oraciones según los ejemplos.**

a: A mí me interesan los idiomas.
(a ti)

A ti te interesan los idiomas.

b: A Ud. le parece chico el departamento.
(a ella)

A ella le parece chico el departamento.

c: A nosotros nos gusta levantarnos tarde.
(a Uds.)

A Uds. les gusta levantarse tarde.

1. A ellos no les gustan las corridas de toros.
(a mí)

2. A ti te sobran veinte dólares.
(a Ud.)

3. A él le sirven estos timbres de correo.
(a nosotros)

4. A Uds. les cuesta cincuenta pesos el cuarto del hotel.
(a ellas)

5. A ti te parecen fáciles estos ejercicios.
(a mí)

6. A ella le faltan treinta centavos para el pan.
(a Ud.)

7. A Uds. les falta conocer las ruinas.
(a nosotros)

8. A mí nunca me duele la cabeza.
(a ellos)

9. A Ud. le simpatizan mis primas, ¿verdad?
(a ti)

10. A ellas les interesa la literatura contemporánea.
(a Uds.)

11. A mí me gusta cantar y bailar.
(a ti)

12. A nosotros no nos conviene invertir en ese negocio.
(a él)

EJERCICIO III

Conteste las preguntas.

1. ¿Te gusta la ópera?
2. ¿A qué horas te gusta levantarte?
3. ¿A quiénes les gusta jugar tenis?
4. ¿Cuánto les cuesta la inscripción a Uds.?
5. ¿A quién le sirven estos lápices?
6. ¿Qué te parece el jardín?
7. A Ud. le conviene aprender canciones en español, ¿no?
8. ¿Le interesan las conferencias de historia a Mario?
9. ¿Les simpatiza el gerente de la compañía a Uds.?
10. ¿Le falta sacudir los muebles a la sirvienta?
11. ¿Cuánto dinero le falta a Ud. para la estufa?
12. ¿Cuántas lecciones nos faltan para terminar este libro?

EJERCICIO IV

Cambie las oraciones a preguntas.

Ejemplo: Le tenemos que devolver su cuaderno a Luis pasado mañana.

¿Qué . . . ?
¿A quién . . . ?
¿Cuándo . . . ?

¿Qué le tienen que devolver a Luis pasado mañana?
¿A quién le tienen que devolver su cuaderno pasado mañana?
¿Cuándo le tienen que devolver su cuaderno a Luis?

1. Hay que llevar al Sr. Martínez al aeropuerto a las tres.

   ¿A quién . . . ?
   ¿A dónde . . . ?
   ¿A qué horas . . . ?
   ¿Qué . . . ?

2. Las sillas grandes son de madera.

   ¿Cuáles . . . ?
   ¿De qué . . . ?

3. La fiesta es en casa del Sr. Torres el miércoles a las nueve.

   ¿Dónde . . . ?
   ¿A qué horas . . . ?
   ¿Cuándo . . . ?

4. Los cuchillos, las cucharas y los tenedores están en la mesa.

   ¿Dónde . . . ?

5. A mi sobrino le gustan las películas de vaqueros.

   ¿A quién . . . ?
   ¿Qué . . . ?

6. Los guantes son rojos.

   ¿De qué color . . . ?

7. Vamos a un baile mañana en la noche.

   ¿A dónde . . . ?
   ¿Cuándo . . . ?

8. Hay __________ estudiantes en este salón.

   ¿Cuántos . . . ?

9. Es la una en punto.

   ¿Qué horas . . . ?
   ¿Qué hora . . . ?

10. No podemos ir a Acapulco porque no tenemos dinero.

    ¿Por qué . . . ?

11. Tenemos que decirle la verdad al abogado.

    ¿A quién . . . ?

12. Me llamo ____________________.

    ¿Cómo . . . ?

EJERCICIO V

Conteste las preguntas.

1. ¿Cómo está Ud.?
2. ¿Cómo es el presidente de los Estados Unidos?
3. ¿De dónde es Ud.?
4. ¿Cuál es la capital de España?
5. ¿Cómo se dice *barber shop* en español?
6. ¿Dónde hay una papelería cerca de aquí?
7. ¿De quién es esta pluma?
8. ¿Qué quiere decir "hasta mañana"?
9. ¿Cuántos años tiene Ángela?
10. ¿Qué van a hacer Uds. el domingo?
11. ¿Dónde vives?
12. ¿Qué horas son?

LECCIÓN III

(3ª Lección)

PATRONES DEL IDIOMA A

1. Hablé con el subgerente ayer.	*I talked to the assistant manager yesterday.*
2. ¿Firmaste el contrato?	*Did you sign the contract?*
3. María Elena dejó sus llaves aquí.	*María Elena left her keys here.*
4. Tomamos chocolate hoy en la mañana.	*We had hot chocolate this morning.*
5. Uds. estudiaron mucho anoche, ¿verdad?	*You studied very hard last night, didn't you?*
6. Comí en el centro antier.	*I had lunch downtown day before yesterday.*
7. ¿Tú rompiste el vidrio de la ventana?	*Did you break the window?*
8. Ud. barrió el patio muy temprano, ¿no?	*You swept the patio very early, didn't you?*
9. Vendimos el piano el viernes pasado.	*We sold the piano last Friday.*
10. Los niños escondieron la muñeca de su hermanita.	*The children hid their little sister's doll.*
11. Escribí una carta en español antier.	*I wrote a letter in Spanish day before yesterday.*
12. ¿Abriste la caja de chocolates?	*Did you open the box of chocolates?*
13. Mi sobrinito cumplió nueve años el miércoles.	*My little nephew was nine years old last Wednesday.*
14. Recibimos un telegrama del jefe ayer.	*We got a telegram from the boss yesterday.*
15. Los mozos no sacudieron las lámparas.	*The servants didn't dust the lamps.*

EJERCICIO I A

Ejemplo a: Hablé con el subgerente ayer.

(firmar - el contrato)

Firmé el contrato ayer.

1. dejar - mis llaves aquí
2. no - tomar - chocolate
3. estudiar - esta lección
4. arreglar - el radio
5. bañar - al perro
6. comprar - un sombrero

Ejemplo b: ¿Firmaste el contrato?
(dejar - tus llaves en el coche)
¿Dejaste tus llaves en el coche?

1. tomar - chocolate o café
2. estudiar - los verbos
3. cenar - en el centro anoche
4. contestar - la correspondencia
5. lavar - los platos
6. hablar - con el subgerente

Ejemplo c: María Elena dejó sus llaves aquí.
(Ud. - estudiar - esta lección muy bien)
Ud. estudió esta lección muy bien.

1. el jefe - hablar - con el abogado
2. el gerente - firmar - el contrato
3. el banco no - aceptar - el cheque
4. Ud. no - pasar - por los timbres
5. Ud. - llevar - a su hermanita al cine
6. Ud. - contestar - el teléfono

Ejemplo d: Tomamos chocolate hoy en la mañana.
(estudiar - los verbos)
Estudiamos los verbos hoy en la mañana.

1. visitar - a un amigo
2. no - comprar - el periódico
3. lavar - el coche
4. hablar - con el Lic. Vega
5. firmar - el contrato
6. dejar - los libros en casa

Ejemplo e: Uds. estudiaron mucho anoche, ¿verdad?
(los empleados - hablar - con el subgerente)
Los empleados hablaron con el subgerente anoche, ¿verdad?

1. Uds. - firmar - los cheques
2. Uds. - dejar - sus cuadernos aquí
3. Uds. - tomar - mucho café
4. los abogados - aceptar - el contrato
5. tus sobrinitos - cenar - tarde
6. Anita y Juan - visitar - a unos amigos

EJERCICIO II A

Ejemplo a: Comí en el centro antier.
(escribir - una carta en español)
Escribí una carta en español antier.

1. romper - el vidrio de la ventana
2. vender - el piano
3. esconder - los regalos
4. recibir - un telegrama del jefe
5. no - sacudir - las lámparas
6. inscribir - a mi hermanito en el colegio

Ejemplo b: ¿Tú rompiste el vidrio de la ventana?
(abrir - la caja de chocolates)
¿Tú abriste la caja de chocolates?

1. escoger - los muebles
2. barrer - el patio
3. esconder - la muñeca de la niña
4. sacudir - las lámparas
5. escribir - este poema
6. recibir - el telegrama

Ejemplo c: Ud. barrió el patio muy temprano, ¿no?
(tu sobrino - cumplir - nueve años el miércoles)
Tu sobrino cumplió nueve años el miércoles, ¿no?

1. María Elena - esconder - la muñeca
2. Ud. - romper - el vidrio de la ventana
3. Luis - escoger - esa caja de dulces
4. Ud. - sacudir - el piano
5. el cine París - exhibir - esa película
6. Ud. - escribir - una carta en español

Ejemplo d: Vendimos el piano el viernes pasado.
(recibir - un telegrama del jefe)
Recibimos un telegrama del jefe el viernes pasado.

1. esconder - el regalo de la niña
2. romper - el vidrio de la ventana
3. comer - en casa de María Elena
4. sacudir - las lámparas
5. abrir - una cuenta en el banco
6. inscribir - a nuestros hijos en la escuela

Ejemplo e: Los niños escondieron la muñeca de su hermanita.
(Uds. no - sacudir - los muebles)
Uds. no sacudieron los muebles.

1. Uds. no - barrer - su cuarto
2. mis sobrinitos - romper tres discos
3. Uds. - escoger - el regalo para el jefe
4. los mozos ya - recibir - su sueldo
5. Uds. - abrir - la caja de chocolates
6. los estudiantes - escribir - cinco oraciones de tarea

PATRONES DEL IDIOMA B

1. Falté a clase tres veces el mes pasado.	*I was absent from class three times last month.*
2. Esa agencia vendió quinientos automóviles el año pasado.	*That dealer sold five hundred cars last year.*
3. Mi prima recibió siete cartas de José Luis la semana pasada.	*My cousin received seven letters from José Luis last week.*
4. ¿Estudiaste toda la mañana el sábado?	*Did you study all morning last Saturday?*
5. Recorrimos toda la república en autobús.	*We toured throughout the country by bus.*
6. Mis padres vivieron en Europa cinco años.	*My parents lived in Europe for five years.*

EJERCICIO I B

Cambie las oraciones al plural.

Ejemplo: ¿Faltaste a clase tres veces el mes pasado?
¿Faltaron a clase tres veces el mes pasado?

1. Esa agencia vendió quinientos automóviles el año pasado.
2. Recibí siete cartas de José Luis el mes pasado.
3. ¿Bailaste con muchas muchachas en el baile?
4. ¿Comiste en casa todos los días la semana pasada?
5. La tienda abrió muy temprano en diciembre.
6. Falté a clase seis veces en mayo.
7. ¿Barrió Ud. su cuarto todos los días?
8. El mozo sacudió los muebles en la mañana y en la tarde.
9. ¿Pasó Ud. por los niños al colegio la semana pasada?
10. Esa señorita contestó todas las preguntas muy bien.
11. ¿Compraste el periódico en la esquina todos los días?
12. ¿Faltó Ud. a clase muchas veces el año pasado?

EJERCICIO II B

Cambie las oraciones al singular.

Ejemplo: ¿Recorrieron Uds. toda la república en autobús?

¿Recorrió Ud. toda la república en autobús?

o: ¿Recorriste toda la república en autobús?

1. Estudiamos toda la noche antes del examen.
2. Mis tíos vivieron en Europa un año.
3. ¿Esperaron Uds. a José Luis aquí o en la oficina?
4. Trabajamos diez horas ayer.
5. Las secretarias escribieron toda la tarde, ¿verdad?
6. ¡Esas señoras hablaron por teléfono dos horas!
7. Recorrimos toda la república en automóvil.
8. Mis amigos estudiaron en la biblioteca tres horas ayer.
9. Esperamos el autobús hora y media.
10. Mis hermanas lavaron ropa todo el día ayer.
11. Los vendedores trabajaron toda la mañana.
12. ¿Vivieron Uds. en Colombia mucho tiempo?

LECCIÓN IV

(4ª. Lección)

PATRONES DEL IDIOMA A

1. Encontré a mi tía Graciela en el centro el otro día.	*I met Aunt Graciela downtown the other day.*
Encontré mi reloj en ese cajón.	*I found my watch in that drawer.*
2. ¿Acostaste a los niños temprano?	*Did you put the children to bed early?*
3. ¿Aprobó el presupuesto el cliente?	*Did the client approve the estimate?*
4. Merendamos a las siete antenoche.	*We had a light supper at seven night before last.*
5. Las tiendas cerraron muy tarde el sábado, ¿verdad?	*The stores closed very late last Saturday, didn't they?*
6. Perdí mis anteojos nuevos ayer.	*I lost my new glasses yesterday.*
7. ¿Resolviste los problemas de álgebra?	*Did you solve the algebra problems?*
8. ¿Volvió Ud. al Instituto ayer en la tarde?	*Did you come back to the Institute yesterday afternoon?*
9. Entendimos casi todas las palabras de la lectura.	*We understood almost all the words in the reading.*
10. ¿Devolvieron Uds. los libros?	*Did you return the books?*

EJERCICIO I A

Ejemplo a: Encontré a mi tía Graciela en el centro el otro día.
(encender - todas las lámparas)
Encendí todas las lámparas el otro día.

1. merendar - en casa de mis tíos
2. aprobar - el presupuesto
3. no - cerrar - la puerta con llave
4. resolver - ese problema
5. entender - las palabras de la lectura
6. volver - al despacho con el cliente

Ejemplo b: ¿Acostaste a los niños temprano?
(resolver - los problemas de álgebra)
¿Resolviste los problemas de álgebra?

1. despertar - a tu hermano a las ocho
2. aprobar - el presupuesto
3. cerrar - los cajones de la cómoda
4. perder - tus anteojos nuevos
5. ya - devolver - todos los libros
6. entender - todas las preguntas

Ejemplo c: ¿Aprobó el presupuesto el cliente?
(volver - Ud. al Instituto ayer en la tarde)
¿Volvió Ud. al Instituto ayer en la tarde?

1. merendar - Ud. en casa antier
2. ya - encontrar - sus anteojos tu tío
3. cerrar - Ud. el cajón con llave
4. encender - el televisor el niño
5. ya - resolver - Ud. el problema
6. perder - su reloj nuevo tu tía

Ejemplo d: Merendamos a las siete antenoche.
(entender - casi toda la conferencia)
Entendimos casi toda la conferencia antenoche.

1. aprobar - el presupuesto nuevo
2. cerrar - la oficina muy tarde
3. encontrar - a Antonio en el cine
4. resolver - los problemas de álgebra
5. perder - casi doscientos pesos
6. devolver - el diccionario

Ejemplo e: Las tiendas cerraron muy tarde el sábado, ¿verdad?
(Uds. - devolver - los libros)
Uds. devolvieron los libros, ¿verdad?

1. Uds. ya - aprobar - el presupuesto
2. tus sobrinos - despertar - a Marta
3. Uds. - encontrar - el dinero en ese cajón
4. los clientes no - perder - tiempo
5. Uds. ya - resolver - los problemas
6. los niños - encender - el televisor a las cuatro

EJERCICIO II A

Cambie las oraciones al pretérito.

Ejemplo: La tienda de la esquina siempre cierra a las seis.
(ayer)
La tienda de la esquina cerró a las seis ayer.

1. No recuerdo el plural de esa palabra.
(el día del examen)
2. Tú no meriendas en tu casa, ¿verdad?
(anoche)
3. Graciela acuesta a la niña antes de las nueve.
(antenoche)
4. No siempre encendemos el radio del coche.
(hoy en la mañana)
5. Uds. no aprueban este presupuesto, ¿verdad?
(el año pasado)

6. Mis hermanas encuentran a las vecinas en el mercado a veces.
(el jueves pasado)

7. Despierto a mi esposa (esposo) a las ocho.
(antier)

8. El Sr. Suki no entiende esa expresión.
(el otro día)

9. ¿Resuelven Uds. muchos problemas de álgebra en la escuela?
(la semana pasada)

10. Mis sobrinitos siempre pierden los lápices en el colegio.
(ayer)

11. Llueve mucho en Inglaterra.
(el verano pasado)

12. Las secretarias no vuelven a la oficina en la tarde.
(el sábado pasado)

EJERCICIO III A

Cambie las oraciones al presente.

Ejemplo: La tienda de la esquina cerró a las seis ayer.
(siempre)

La tienda de la esquina siempre cierra a las seis.

1. Devolví los libros a tiempo el mes pasado.
(casi siempre)

2. Tú encendiste la luz a las cinco hoy en la mañana.
(todas las mañanas)

3. ¿Entendió Ud. las conferencias en español?
(siempre)

4. La sirvienta despertó a la señora a las ocho y media el lunes.
(todos los lunes)

5. Volvimos a casa muy tarde anoche.
(todas las noches)

6. Uds. perdieron dinero en ese negocio el año pasado, ¿no?
(a veces)

7. ¿Encontraste las palabras nuevas en ese diccionario?
(siempre)

8. Ud. aprobó los contratos, ¿verdad?
(nunca)

9. El profesor resolvió todos los problemas.
(siempre)

10. Acostamos al niño después de las siete antenoche. (todos los días)
11. Llovió mucho en esta ciudad el mes pasado. (en verano)
12. Mi secretaria no recordó tu número de teléfono. (nunca)

PATRONES DEL IDIOMA B

1. Ayer conocí a un pintor muy famoso.	*I met a very famous painter yesterday.*
2. ¿Obedeciste la orden del general?	*Did you obey the general's order?*
3. El tren salió a las seis en punto.	*The train left at six o'clock sharp.*
4. Simón Bolívar nació en Caracas en 1783.	*Simón Bolívar was born in Caracas in 1783.*
5. No vimos muchas obras de teatro el año pasado.	*We didn't see many plays last year.*
6. Nos dieron este folleto en la oficina de informes.	*They gave us this pamphlet at the information office.*

EJERCICIO I B

Cambie las oraciones al presente.

1. Conocí a un pintor muy famoso.
2. Conociste el museo de historia, ¿verdad?
3. Obedecí las órdenes del general (Gral.) González.
4. Anita no obedeció a su hermana.
5. Vi a José Luis en la oficina de informes.
6. Mi papá y mi mamá vieron muchas obras de teatro.
7. Salí para Caracas en tren.
8. Salimos de aquí a las doce.
9. Le di flores a María Elena el día de su cumpleaños.
10. ¿Cuánto diste de propina en el restaurante?
11. ¿Le dio Ud. los informes al cliente?
12. Uds. dieron clases de álgebra en el Politécnico, ¿no?

EJERCICIO II B

Cambie las oraciones al pretérito.

1. Conozco a muchos estudiantes de inglés.
2. No conocemos Caracas.
3. Obedezco las señales de tránsito.
4. Los empleados obedecen las órdenes del jefe.
5. Salgo de allí a las dos en punto.
6. Esos trenes salen a tiempo.
7. Veo obras de teatro en español.
8. ¿No ves a Lupe en el Club Deportivo Americano?
9. Yo no doy las órdenes. Las da el gerente.
10. ¿Le das el folleto a Carmen?
11. Ese pintor da clases en la Universidad.
12. Damos informes de las ocho de la mañana a la una de la tarde.

EJERCICIO III B

Ejemplo: ¿En qué año nació Simón Bolívar?
Nació en 1783.

(Miguel de Cervantes ... 1547)

¿En qué año nació Miguel de Cervantes?
Nació en 1547.

1. Cristóbal Colón ... 1446
2. José de San Martín ... 1778
3. Benito Juárez ... 1806
4. Shakespeare ... 1564
5. Washington ... 1732
6. Balzac ... 1799

Diálogo: **a:** ¿Dónde nació Ud.?
b: Nací en ____________

LECCIÓN V
(5ª Lección)

PATRONES DEL IDIOMA A

1. Le expliqué la situación al abogado. — *I explained the situation to the lawyer.*

   ¿Por qué no me explicaste el problema? — *Why didn't you explain the problem to me?*

2. Busqué la medicina en todas las farmacias del centro. — *I looked for the medicine in all the downtown drugstores.*

   Buscamos a Rodolfo en todas partes. — *We looked for Rodolfo everywhere.*

3. Crucé la calle para poner las cartas en el buzón. — *I crossed the street to put the letters in the mailbox.*

   Cruzamos la frontera el día primero. — *We crossed the border on the first of the month.*

4. Pagué la cuenta con un billete de a cien pesos. — *I paid the bill with a hundred peso bill.*

   ¿Pagaron Uds. la renta el día último? — *Did you pay the rent on the last day of the month?*

5. Yo apagué la luz de la cocina. — *I turned off the kitchen light.*

   La cocinera no apagó el horno. — *The cook didn't turn off the oven.*

6. Averigüé la hora de salida y de llegada del avión. — *I found out the plane departure and arrival time.*

   El jefe averiguó la verdad. — *The boss found out the truth.*

7. Construimos la casa el año pasado. — *We built the house last year.*

   El gobierno construyó esa carretera en seis meses. — *The government built that highway in six months.*

   Los arquitectos Gallardo y Ruiz construyeron este edificio. — *Messrs. Gallardo and Ruiz, who are architects, built this building.*

EJERCICIO I A

Llene los espacios con la forma correcta del verbo en pretérito.

1. Yo no le ________ (explicar) la situación al abogado. Se la ________ (explicar) Rodolfo.
2. ¿Dónde ________ (tú-buscar) la medicina? La ________ (buscar) en todas partes.
3. ¿________ (cruzar) Ud. la frontera el día primero? No. La ________ (cruzar) el día último.

4. Yo ______________ el examen a las doce y Uds. lo ______________ a la una.
(empezar) (empezar)

5. ¿Con quién ______________ ? ______________ con la Srita. Ruiz y con
(tú-almorzar) (almorzar)
el Sr. Gallardo.

6. ¿ ______________ Ud. la renta con el billete de a quinientos? Sí, la
(pagar)
______________ con ese billete.
(pagar)

7. ¿ ______________ el horno la cocinera? No. Lo ______________ yo.
(apagar) (apagar)

8. ¿ ______________ la luz de la cocina? Sí, ya la ______________.
(tú-apagar) (apagar)

9. El gerente y el subgerente ______________ a las nueve, pero yo ______________
(llegar) (llegar)
a las ocho.

10. ¿Le ______________ Ud. el presupuesto al cliente? Sí, se lo ______________
(entregar) (entregar)
ayer.

11. Uds. sí ______________ tenis en la mañana. Yo no ______________ .
(jugar) (jugar)

12. ¿ ______________ la hora de llegada del avión? No. ______________
(tú-averiguar) (averiguar)
la hora de salida.

EJERCICIO II A

Cambie las oraciones al plural.

1. ¿Quién construyó esa carretera?
2. Yo construí el edificio de la esquina.
3. ¿Cuándo construiste la casa?
4. El general distribuyó los uniformes.
5. Distribuí la correspondencia.
6. Ya distribuiste todos los folletos, ¿no?
7. Mi hermano no oyó el concierto del sábado.
8. No oí misa el domingo pasado.
9. ¿Oíste la ópera por radio el martes?
10. El licenciado leyó el contrato.

11. Leí las oraciones en voz alta.

12. ¿Leíste la noticia en el periódico?

PATRONES DEL IDIOMA B

1. Yo seguí las instrucciones. Francisco no las siguió.	*I followed the instructions.* *Francisco didn't follow them.*
2. Gloria repitió el primer curso. ¿Lo repetiste tú también?	*Gloria repeated course one.* *Did you repeat it too?*
3. Nosotros no mentimos. Mintieron mis primos.	*We didn't lie.* *My cousins lied.*
4. Yo no invertí en ese negocio. Ud. sí invirtió, ¿verdad?	*I didn't invest in that business.* *You did invest, didn't you?*
5. Nosotros no dormimos bien anoche. ¿Durmieron Uds. bien?	*We didn't sleep well last night.* *Did you sleep well?*
6. ¿En qué año murió Simón Bolívar? Murió en 1830.	*In what year did Simón Bolívar die?* *He died in 1830.*

EJERCICIO I B

Ejemplo a: Yo seguí las instrucciones.
Francisco no las siguió.

(... dormir - muy bien anoche)
(... no - dormir - bien)

Yo dormí muy bien anoche.
Francisco no durmió bien.

1. ... repetir - el primer curso
   ... no lo - repetir
2. ... mentir
   ... no - mentir
3. ... conseguir - el dinero
   ... no lo - conseguir
4. ... invertir - en ese negocio
   ... no - invertir
5. ... corregir - la tarea
   ... no la - corregir
6. ... dormir - muy bien anoche
   ... no - dormir - bien

Ejemplo b: Gloria repitió el primer curso.
¿Lo repetiste tú también?

(... dormir - muy mal anoche)
(dormir - mal ...)

Gloria durmió muy mal anoche.
¿Dormiste mal tú también?

1. ... mentir - ayer
   mentir ...
2. ... pedir - café
   pedir - café ...
3. ... invertir - en acciones
   invertir - en acciones ...
4. ... seguir - las instrucciones
   las - seguir ...

5. ... servir - la cena temprano
   la - servir - temprano ...

6. ... dormir - muy bien anoche
   dormir - bien ...

Ejemplo c: Nosotros no mentimos.
Mintieron mis primos.

(... no - dormir - bien anoche)
(dormir - bien ...)

Nosotros no dormimos bien anoche.
Durmieron bien mis primos.

1. ... no - seguir - las instrucciones
   las - seguir ...

2. ... no - repetir - el primer curso
   lo - repetir ...

3. ... no - preferir - ese hotel
   lo - preferir ...

4. ... no - conseguir - las refacciones
   las - conseguir ...

5. ... no - corregir - la tarea
   la - corregir ...

6. ... no - dormir - mal anoche
   dormir - mal ...

Ejemplo d: Yo no invertí en ese negocio.
Ud. sí invirtió, ¿verdad?

(... no - dormir - muy bien)
(... sí - dormir - bien, ...)

Yo no dormí muy bien.
Ud. sí durmió bien, ¿verdad?

1. ... no - seguir - las instrucciones
   ... sí las - seguir, ...

2. ... no - repetir - las oraciones
   ... sí las - repetir, ...

3. ... no - mentir
   ... sí - mentir, ...

4. ... no - pedir - trabajo aquí
   ... sí - pedir, ...

5. ... no - servir - mariscos
   ... sí - servir, ...

6. ... no - dormir - muy bien
   ... sí - dormir - bien, ...

Ejemplo e: Nosotros no dormimos bien anoche.
¿Durmieron Uds. bien?

(... seguir - las instrucciones)
(las - seguir ...)

Nosotros seguimos las instrucciones.
¿Las siguieron Uds.?

1. ...repetir - el primer curso
   lo - repetir ...

2. ... no - mentir
   mentir...

3. ... preferir - esas acciones
   las - preferir ...

4. ... no invertir - en ese negocio
   invertir ...

5. ... pedir - el gas antier
   lo - pedir ... ayer

6. ... dormir - muy mal anoche
   dormir ... bien

EJERCICIO II B

Ejemplo: ¿En qué año murió Simón Bolívar?
Murió en 1830.

(Miguel de Cervantes ... 1616)

¿En qué año murió Miguel de Cervantes?
Murió en 1616.

1. Cristóbal Colón ... 1506
2. José de San Martín ... 1850
3. Benito Juárez ... 1872
4. Shakespeare ... 1616
5. Washington ... 1799
6. Balzac ... 1850

PATRONES DEL IDIOMA C

1. Me despedí de mis compañeros de trabajo ayer. — *I said good-bye to my fellow workers yesterday.*
2. ¿Por qué te reíste de ese señor? — *Why did you laugh at that man?*
3. ¿Se sintió Ud. mal después de la cena anoche? — *Did you feel bad after supper last night?*
4. Nos divertimos mucho en el circo. — *We had a very good time at the circus.*
5. ¿Se durmieron Uds. inmediatamente después de acostarse? — *Did you go to sleep immediately after going to bed?*
6. Mi abuelito se murió el año pasado. — *My grandfather died last year.*

EJERCICIO C

Ejemplo a: Me despedí de mis compañeros de trabajo ayer.
(dormirse - muy tarde el sábado)
Me dormí muy tarde el sábado.

1. no - reírse - de ese señor
2. sentirse - mal después de la cena
3. divertirse - mucho en el circo
4. vestirse - en quince minutos hoy
5. despedirse - de mis compañeros
6. dormirse - a las once anoche

Ejemplo b: ¿Por qué te reíste de ese señor?
(dormirse - tarde antenoche)
¿Por qué te dormiste tarde antenoche?

1. sentirse - mal después de la cena
2. no - divertirse - en la fiesta
3. no - despedirse - de tus compañeros
4. vestirse - de negro ayer
5. reírse - de esas personas
6. dormirse - en el trabajo

Ejemplo c: ¿Se sintió Ud. mal después de la cena anoche?
(morirse - su abuelito el año pasado)
¿Se murió su abuelito el año pasado?

1. divertirse - Ud. mucho en el circo
2. ya - despedirse - Ud. de sus amigos
3. reírse - Ud. mucho en el teatro
4. sentirse - bien - José Luis ayer
5. dormirse - Francisco en el cine
6. morirse - su abuelita el año pasado

Ejemplo d: Nos divertimos mucho en el circo.
(dormirse - muy tarde antenoche)
Nos dormimos muy tarde antenoche.

1. despedirse - de nuestros amigos
2. reírse - mucho en la fiesta antier
3. sentirse - cansados ayer en la tarde
4. vestirse - en un cuarto de hora
5. divertirse - mucho en Acapulco
6. dormirse - en la conferencia

Ejemplo e: ¿Se durmieron Uds. inmediatamente después de acostarse?
(divertirse - los niños en el circo)
¿Se divirtieron los niños en el circo?

1. despedirse - Uds. de sus compañeros
2. sentirse - Uds. mal después de la cena
3. vestirse - Uds. de negro ayer
4. reírse - mucho tus sobrinitas
5. dormirse - muy tarde los huéspedes
6. morirse - tus abuelitos el año pasado

LECCIÓN VI

(6º Lección)

PATRONES DEL IDIOMA A

1. Estuve en Río de Janeiro dos semanas.	*I was in Rio for two weeks.*
2. ¿Pudiste resolver el problema?	*Were you able to solve the problem?*
3. ¿Puso Ud. las cartas en el buzón?	*Did you put the letters in the mailbox?*
4. Mi cuñado no quiso prestarnos sus discos.	*My brother-in-law didn't want to lend us his records.*
5. La cocinera hizo un pastel muy sabroso.	*The cook baked a very delicious cake.*
6. Tuvimos invitados a comer ayer.	*We had guests for lunch yesterday.*
7. ¿Supieron Uds. que Anita compró un automóvil?	*Did you know that Anita bought a car?*
8. Esos jóvenes no vinieron a clase antier.	*Those young men didn't come to class day before yesterday.*
9. Las maletas no cupieron en el cochecito de Luis.	*There wasn't enough room for the suitcases in Luis's small car.*

EJERCICIO A

Ejemplo a: Estuve en Río de Janeiro dos semanas.
(hacer - un pastel muy sabroso)
Hice un pastel muy sabroso.

1. no - poder - resolver el problema
2. poner - las cartas en el buzón
3. no - querer - ir al cine anoche
4. tener - invitados a comer ayer
5. saber - que Ud. compró una estufa
6. no - venir - a clase ayer
7. no - caber - en el cochecito de Luis
8. estar - enfermo la semana pasada

Ejemplo b: ¿Pudiste resolver el problema?
(poner - el pastel en el horno)
¿Pusiste el pastel en el horno?

1. hacer - la tarea ayer
2. no - querer - ir en avión
3. tener - invitados a cenar
4. saber - que José encontró trabajo
5. venir - a pie o en coche
6. caber - en el cochecito de Luis
7. estar - en Río de Janeiro en enero
8. poder - conseguirme la medicina

Ejemplo c: ¿Puso Ud. las cartas en el buzón?
¿Pusieron Uds. las cartas en el buzón?

(hacer - los pasteles para la fiesta)

¿Hizo los pasteles para la fiesta?
¿Hicieron los pasteles para la fiesta?

1. no - querer - invertir en acciones
2. tener - fiesta en su casa antier
3. saber - que el jefe firmó el cheque
4. venir - en autobús o en tren
5. caber - en el cochecito de Luis
6. estar - en el despacho el sábado
7. poder - arreglar el refrigerador
8. poner - las maletas en mi cuarto

Ejemplo d: Tuvimos invitados a comer ayer.

(saber - que Ud. se divirtió mucho en el baile)

Supimos que Ud. se divirtió mucho en el baile.

1. venir - muy temprano hoy
2. no - caber - en el cochecito de Luis
3. estar - muy contentos en la fiesta
4. no - poder - averiguar tu dirección
5. poner - la mesa a las dos
6. hacer - unos pasteles muy sabrosos
7. no - querer - ir al teatro ayer
8. tener - mucho frío anoche

Ejemplo e: Mi cuñado no quiso prestarnos sus discos.
Mis cuñados no quisieron prestarnos sus discos.

(la maleta no - caber - en el cochecito de Luis)

La maleta no cupo en el cochecito de Luis.
Las maletas no cupieron en el cochecito de Luis.

1. la obra - estar - muy interesante(s)
2. mi compañero no - poder - resolver el problema
3. la niña - poner - sus muñecas en ese cajón
4. mi hermana - hacer - una comida muy sabrosa
5. mi suegro no - querer - firmar los papeles
6. ese hotel - tener - muchos huéspedes en agosto
7. el abogado - saber - que el gerente aprobó el presupuesto
8. mi tío no - querer - comparle un automóvil a mi prima

PATRONES DEL IDIOMA B

1. Le traje unos aretes a Elena.	*I brought Elena a pair of earrings.*
2. ¿Les dijiste a tus amigos cómo llegar a las ruinas?	*Did you tell your friends how to get to the ruins?*
3. Ud. tradujo este artículo al inglés, ¿verdad?	*You translated this article into English, didn't you?*
4. Esa fábrica produjo cinco mil camiones el mes pasado.	*That factory produced five thousand trucks last month.*
5. Nosotros le trajimos estos juguetes al niño. ¿Qué le trajeron Uds.?	*We brought the child these toys. What did you bring him?*
6. Los empleados nos dijeron cómo llenar la solicitud.	*The employees told us how to fill out the application form.*
7. ¿Quiénes tradujeron estos poemas?	*Who translated these poems?*
8. Mis negocios no produjeron ganancias el año pasado.	*My business didn't make money last year.*
9. Hubo una boda muy elegante en la catedral el lunes.	*There was a very big wedding at the cathedral last Monday.*
10. Hubo muchos invitados en el banquete.	*There were a lot of guests at the banquet.*

EJERCICIO I B

Cambie las oraciones al plural.

1. Le dije la dirección al chofer.
2. ¿Cuándo tradujiste este artículo?
3. Ud. le trajo unos aretes de plata a la Srita. Martínez, ¿no?
4. Esa fábrica produjo diez mil televisores el año pasado.
5. Yo les traduje el telegrama a tus amigos.
6. La compañía produjo cochecitos de juguete para Navidad.
7. Ud. no les dijo a sus compañeros cómo llegar a la catedral.
8. El mozo no nos trajo los cigarros.
9. Ese negocio sí me produjo ganancias el mes pasado.
10. El maestro tradujo las oraciones al español.
11. El empleado nos dijo cómo llenar las solicitudes.
12. Trajiste la camioneta, ¿no?

EJERCICIO II B

Cambie las oraciones al pretérito.

1. Hay un banquete en el hotel Presidente el jueves.
2. No hay clases el día veinte.
3. Hay una boda muy elegante en esa iglesia.
4. No hay ganancias en el negocio.
5. ¿Hay junta del consejo esta semana?
6. Hay tres funciones en el circo el domingo.

circus

PATRONES DEL IDIOMA C

1. Fui a la boda civil de María Luisa y Sergio.	*I went to María Luisa and Sergio's civil wedding.*
Fui testigo de la novia.	*I was witness for the bride.*
2. ¿Fuiste al matrimonio religioso?	*Did you go to the church wedding?*
¿Fuiste madrina?	*Were you the maid of honor?*
3. Ud. fue a la misa, ¿verdad?	*You went to the wedding mass, didn't you?*
Ud. fue padrino, ¿verdad?	*You were best man, weren't you?*
4. La novia fue a la iglesia en un automóvil muy bonito.	*The bride went to the church in a very nice car.*
La ceremonia fue a las doce.	*The ceremony was at twelve.*
5. Después de la boda, nos fuimos al banquete.	*After the wedding, we went to the reception.*
El novio y yo fuimos vecinos muchos años.	*The groom and I were neighbors for many years.*
6. Ud. y sus padres fueron a las dos ceremonias, ¿no?	*You and your parents went to both ceremonies, didn't you?*
Ud. y los novios fueron compañeros de escuela, ¿no?	*You and the bride and groom were schoolmates, weren't you?*
7. Los recién casados se fueron de viaje de bodas a Europa.	*The newlyweds went to Europe on their honeymoon.*
María Luisa y Sergio fueron novios dos años.	*María Luisa and Sergio were engaged for two years.*

EJERCICIO C

Forme oraciones con los siguientes elementos:
Form sentences with the following:

1. (me) fui	de viaje de bodas a ______________
fui	en un automóvil negro
2. (te) fuiste	a Europa en avión
fuiste	a pie a la catedral
3. Ud. (se) fue	a la ceremonia religiosa
Ud. fue	a una boda muy elegante
4. la Sra. Gallardo (se) fue	al matrimonio civil de María Luisa
el Sr. Miranda fue	vecino(s) de Sergio muchos años
5. (nos) fuimos	profesor(es) de idiomas
fuimos	padrino(s), ¿no?
6. Uds. (se) fueron	compañero(s) de escuela de la novia
Uds. fueron	madrina(s), ¿verdad?
7. los recién casados (se) fueron	novios un año
mis padres fueron	testigo(s) del novio

me fue - left
fue - went

LECCIÓN VII

(7ª Lección)

PATRONES DEL IDIOMA A

1. No nos esperaste en el despacho, ¿verdad?	*You didn't wait for us at the office, did you?*
No, no los esperé.	*No, I didn't wait for you.*
2. ¿Cuándo llenó Ud. la solicitud?	*When did you fill out the application blank?*
La llené ayer en la tarde.	*I filled it out yesterday afternoon.*
3. ¿Quién le escondió la pelota a mi sobrinito?	*Who hid my little nephew's ball?*
Se la escondió Ricardo.	*Ricardo hid it.*
4. ¿Recibiste carta de tu familia?	*Did you receive a letter from your family?*
Sí, sí recibí.	*Yes, I did.*
5. ¿Le pidieron Uds. dinero a su tío?	*Did you ask your uncle for money?*
No, no le pedimos.	*No, we didn't ask him.*
6. ¿Hicieron una composición de tarea los estudiantes?	*Did the students write a composition for homework?*
Sí, hicieron una.	*Yes, they wrote one.*
7. ¿Le dieron a Ud. muchos regalos el día de su cumpleaños?	*Did they give you many presents on your birthday?*
Sí, me dieron muchos.	*Yes, they gave me a lot.*

EJERCICIO A

Ejemplo a: No nos esperaste en el despacho, ¿verdad?

No, no los esperé.

(me - inscribir - en el Club de Conversación)

No me inscribiste en el Club de Conversación, ¿verdad?

No, no te inscribí.

1. encontrar - al dentista
2. traer - a tu novia(o)
3. conocer - a los padrinos
4. acostar - a los niños temprano
5. nos - buscar - en la oficina
6. me - ver - en la boda

Ejemplo b: ¿Cuándo llenó Ud. la solicitud?
La llené ayer en la tarde.

(oir - esos discos de ópera)

¿Cuándo oyó usted esos discos de ópera?
Los oí ayer en la tarde.

---

1. aprobar - el presupuesto
2. vender - su guitarra
3. recibir - las calificaciones
4. conseguir - los libros de latín
5. hacer - la composición
6. poner - el telegrama

Ejemplo c: ¿Quién le escondió la pelota a mi sobrinito?
Se la escondió Ricardo.

(me - mandar - estos regalos)

¿Quién me mandó estos regalos?
Te los mandó Ricardo. **o:** Se los mandó Ricardo.

1. me - arreglar - el tocadiscos
2. le - construir - la casa a Ud.
3. nos - corregir - las composiciones
4. les - decir - la contestación a Uds.
5. le - dar - esos aretes a Elena
6. les - traducir - el artículo a tus primos

Ejemplo d: ¿Recibiste carta de tu familia?
Sí, sí recibí.

(jugar - ajedrez)

¿Jugaste ajedrez?
Sí, sí jugué.

1. comprar - camisas
2. aprender - canciones en español
3. tener - miedo
4. invertir - dinero
5. comer - pescado
6. poner - mantequilla en la mesa

Ejemplo e: ¿Le pidieron Uds. dinero a su tío?
No, no le pedimos.

(me - traer - folletos de informes)

¿Me trajeron folletos de informes?
No, no te trajimos. **o:** No, no le trajimos.

1. me - conseguir - referencias
2. le - llevar - flores a Lupe
3. le - entregar - tarea al maestro
4. nos - decir - mentiras
5. les - dar - propina a los mozos
6. les - servir - chocolate a los invitados

Ejemplo f: ¿Hicieron una composición de tarea los estudiantes?
Sí, hicieron una.

(comprar - muchos lápices)

¿Compraron muchos lápices los estudiantes?
Sí, compraron muchos.

1. mandar - muchas cartas
2. romper - un vidrio de la ventana
3. perder - mucho tiempo
4. oir - una conferencia
5. tener - muchos problemas
6. traducir - unos ejemplos

Ejemplo g: ¿Le dieron a Ud. muchos regalos el día de su cumpleaños?
Sí, me dieron muchos.

(me - comprar - unos calcetines)

¿Me compraron unos calcetines?
Sí, te compraron unos. **o:** Sí, le compraron unos.

1. te - dar - muchos dulces
2. les - vender - a Uds. una camioneta
3. le - pedir - a Ud. muchas referencias
4. me - mandar - un telegrama
5. nos - traer - muchos chocolates
6. les - exhibir - una película a los estudiantes

PATRONES DEL IDIOMA B

1. ¿A qué horas te acostaste?	*What time did you go to bed?*
Me acosté a las once y media.	*I went to bed at eleven thirty.*
2. ¿Dónde se cayó Ud.?	*Where did you fall?*
Me caí en la escalera.	*I tripped on the stairs.*
3. ¿Cuándo se recibió de contador el Sr. Moreno?	*When did Mr. Moreno get his degree in accounting?*
Se recibió el año pasado.	*He got it last year.*
4. ¿Se quedaron Uds. en el hotel América?	*Did you stay at the Hotel America?*
No. Nos quedamos en una casa de huéspedes.	*No. We stayed at a rooming house.*
5. ¿Quiénes se inscribieron ayer?	*Who registered yesterday?*
Se inscribieron Elsie y Marie.	*Elsie and Marie did.*
6. ¿Quién se llevó los dulces?	*Who took the candy?*
Se los llevó tu hermanito.	*Your little brother took it.*
7. ¿Qué te encontraste?	*What did you find?*
Me encontré una cartera.	*I found a wallet.*
¿Dónde te la encontraste?	*Where did you find it?*
Me la encontré en la calle.	*I found it in the street.*

EJERCICIO I B

Ejemplo a: ¿A qué horas te acostaste?

Me acosté a las once y media.

(inscribirse)

¿A qué hora te inscribiste?

Me inscribí a la(s) ________

1. bañarse
2. desayunarse
3. despertarse
4. levantarse
5. despedirse
6. dormirse

Ejemplo b: ¿Dónde se cayó Ud.?
Me caí en la escalera.

(quedarse)
(en una casa de huéspedes)

¿Dónde se quedó?
Me quedé en una casa de huéspedes.

1. inscribirse
   en esa oficina
2. desayunarse
   en un restaurante
3. sentarse
   cerca de la puerta
4. acostarse
   en el sofá
5. caerse
   en la escalera
6. quedarse
   aquí

Ejemplo c: ¿Cuándo se recibió de contador el Sr. Moreno?
Se recibió el año pasado.

(enfermera Ofelia)

¿Cuándo se recibió de enfermera Ofelia?
Se recibió el año pasado.

1. arquitecto el Sr. Rivera
2. doctora tu prima
3. ingeniero Enrique
4. dentista el Sr. Ochoa
5. secretaria tu hermana
6. abogado el Sr. Ruiz

Ejemplo d: ¿Se quedaron Uds. en el hotel América?
No. Nos quedamos en una casa de huéspedes.

(acostarse - tarde)
(muy temprano)

¿Se acostaron tarde?
No. Nos acostamos muy temprano.

1. bañarse - anoche
   hoy en la mañana
2. levantarse - a las nueve
   a las ocho y cuarto
3. dormirse - temprano
   muy tarde
4. irse - antes de la una
   después de la una
5. sentarse - aquí
   cerca de la puerta
6. quedarse - en un hotel
   en una casa de huéspedes

Ejemplo e: ¿Quiénes se inscribieron ayer?

Se inscribieron Elsie y Marie.

(caerse - en la escalera)
(Teresa y yo)

¿Quiénes se cayeron en la escalera?

Nos caímos Teresa y yo.

1. quedarse - en la biblioteca
   nuestros compañeros
2. inscribirse - antier
   nosotros
3. sentarse - cerca de la ventana
   el Sr. Carter y su esposa
4. despedirse - de Sergio
   nosotros
5. irse - de vacaciones
   mis socios
6. dormirse - en la conferencia
   Carlos y yo

Ejemplo f: ¿Quién se llevó los dulces?

Se los llevó tu hermanito.

(encontrarse - esta cartera)

¿Quién se encontró esta cartera?

Se la encontró tu hermanito.

1. ponerse - mi corbata
2. lavarse - las manos
3. llevarse - el periódico
4. encontrarse - mis anteojos
5. ponerse - mi sombrero
6. lavarse - la cara

EJERCICIO II B

Ejemplo: **a.** ¿Qué te encontraste?

b. Me encontré una cartera.

a. ¿Dónde te la encontraste?

b. Me la encontré en la calle.

(un pasaporte)
(en el tren)

a. ¿Qué te encontraste?

b. Me encontré un pasaporte.

a. ¿Dónde te lo encontraste?

b. Me lo encontré en el tren.

1. una bolsa de piel
   en el tranvía
2. unos aretes
   en el cine
3. un reloj de oro
   en el teatro
4. una pluma
   en la escalera
5. unos guantes
   en el autobús
6. unas llaves
   en el jardín

LECCIÓN VIII

(8ª Lección)

PATRONES DEL IDIOMA A

1. ¿Qué te faltó hacer ayer?	*What did you get done yesterday?*
Me faltó resolver los problemas de álgebra.	*I did everything but my algebra problems.*
2. ¿Cuánto dinero le sobró a Ud.?	*How much money did you have left over?*
Me sobraron cien pesos.	*I had a hundred pesos left.*
3. ¿Le gustaron los cuentos de Arreola a la Srita. Sánchez?	*Did Miss Sánchez like Arreola's stories?*
Sí, le gustaron mucho.	*Yes, she liked them a lot.*
4. ¿Cuánto le costó el piano al Sr. Cervantes?	*How much did the piano cost Mr. Cervantes?*
Le costó seis mil pesos.	*It cost him six thousand pesos.*
5. ¿Qué les pareció a Uds. el primer curso?	*What did you think of the first course?*
Nos pareció muy difícil.	*We thought it was very hard.*
6. ¿Les convino firmar el contrato a tus amigos?	*Did your friends benefit from signing the contract?*
No, no les convino.	*No, they didn't.*
7. ¿Les sirvió el diccionario a tus compañeros?	*Was the dictionary useful to your classmates?*
Sí, sí les sirvió.	*Yes, it was useful to them.*

EJERCICIO I A

Cambie las oraciones según los ejemplos.

a: A mí me faltaron dos billetes de a diez.
(a ti ... un billete de a diez)

A ti te faltó un billete de a diez.

b: A Ud. le simpatizó ese muchacho, ¿verdad?
(a José Luis ... esos muchachos)

A José Luis le simpatizaron esos muchachos, ¿verdad?

1. A nosotros nos sobraron veintiún dólares.
(a Uds. ... un dólar)

2. A ellos les gustó mucho Buenos Aires.
(a mí ... París y Madrid)

3. A ti te costaron muy caros esos cuadros, ¿no?
(a Ud. ... ese cuadro)

4. A María Luisa le parecieron muy aburridos los programas de televisión.
(a nosotros ... el programa de televisión)

5. A Uds. no les convino quedarse en ese pueblo.
(a ellas ... quedarse aquí)

6. A mí me interesó el libro de cuentos.
(a ti ... los cuentos de Juan José Arreola)

7. A Ud. le sirvieron los folletos de informes.
(a él ... el folleto de informes)

8. A nosotros nos faltó contestar las preguntas.
(a Uds. ... contestar las preguntas y llenar los espacios)

9. A ellos les dolió el estómago ayer en la mañana.
(a mí ... la cabeza)

10. A ti te simpatizaron mis primas, ¿no?
(a Ud. ... mi prima María Elena)

11. A él nunca le interesaron los idiomas.
(a nosotros ... el portugués)

12. ¿A Uds. les gustó el pescado?
(¿a los invitados ... los mariscos?)

EJERCICIO II A

Conteste las preguntas.

1. ¿Cuánto te costó el tocadiscos?
2. ¿Le pareció a Ud. fácil el primer ejercicio?
3. ¿Le gustó la corrida de toros al Sr. Arreola?
4. ¿Cuántos timbres les sobraron a Uds.?
5. ¿Qué les faltó hacer a los estudiantes?
6. ¿Te dolió la cabeza anoche?
7. No te convino invertir en ese negocio, ¿verdad?
8. ¿Les simpatizaron a Uds. los padrinos?
9. ¿Le interesó el libro de cuentos al profesor?
10. ¿Les sirvió a Uds. la máquina de escribir?
11. ¿Les faltó dinero a los huéspedes?
12. ¿Qué te pareció ese disco?

PATRONES DEL IDIOMA B

1. ¿Llegó Ud. a tiempo a la oficina el martes?	*Did you get to the office on time on Tuesday?*
No. Llegué un poco tarde.	*No. I was a little late.*
2. ¿Con quién almorzaste ayer?	*Who did you have lunch with yesterday?*
Almorcé con el Gral. Guerrero.	*I had lunch with Gen. Guerrero.*
3. ¿A qué horas fue el banquete?	*What time was the banquet?*
Empezó a las dos y terminó a las cinco.	*It began at two and ended at five.*
4. ¿Cuántas veces faltaron Uds. a clase la semana pasada?	*How many times did you miss class last week?*
Faltamos una vez.	*We missed class once.*
5. ¿Entraron a la biblioteca Benito y Carlos?	*Did Benito and Carlos go into the library?*
Sí, entraron a la biblioteca.	*Yes, they did.*
6. ¿Cómo estuvo el día ayer?	*What was the weather like yesterday?*
En la mañana hizo calor y en la tarde llovió.	*It was hot in the morning and it rained in the afternoon.*

EJERCICIO I B

Cambie las oraciones al plural.

1. **a.** ¿Fumaste mucho en la fiesta?
   b. Sí, fumé mucho.
2. **a.** ¿A qué hora entró a la iglesia el novio?
   b. Entró a las doce en punto.
3. **a.** ¿Cumplió Ud. con su deber?
   b. Sí, sí cumplí.
4. **a.** ¿Cuándo empezó el curso de español?
   b. Empezó el lunes.
5. **a.** ¿Esperaste mucho tiempo?
   b. No, no esperé mucho.
6. **a.** ¿Quién fue tu maestro de griego?
   b. Fue ______________________

EJERCICIO II B

Cambie las oraciones al singular.

1. **a.** ¿Faltaron Uds. a clase ayer?
   b. No, no faltamos.
2. **a.** ¿Cupieron las maletas en el coche?
   b. Sí, sí cupieron.
3. **a.** ¿Estudiaron Uds. mucho anoche?
   b. Sí estudiamos, pero no mucho.
4. **a.** ¿Hubo clases el sábado pasado?
   b. No, no hubo.
5. **a.** ¿Dónde comieron Uds. el domingo?
   b. Comimos en un restaurante cerca del hotel.
6. **a.** ¿Quiénes hablaron por teléfono?
   b. Hablaron los arquitectos.

EJERCICIO III B

Diálogo: **a.** ¿Cómo estuvo el día ayer?
b. En la mañana ____________
y en la tarde ____________

1. hizo mucho calor
   llovió
2. estuvo nublado
   hizo mucho frío
3. estuvo muy bonito
   hizo calor
4. hizo sol
   estuvo lloviendo
5. estuvo muy nublado
   hubo una tormenta
6. hizo mal tiempo
   hubo sol

EJERCICIO IV B

Conteste las preguntas.

1. ¿Cuántas personas vinieron a la conferencia el jueves pasado?
2. ¿Cuánto tiempo vivieron Uds. en la ciudad de Nueva York?
3. ¿A qué horas salió Ud. del consultorio del dentista antier?
4. ¿Dónde nació Simón Bolívar?
5. ¿Volviste a la oficina después de comer ayer?
6. ¿Trabajaron los pintores el mes pasado?
7. ¿Con quién bailó Graciela en el baile del sábado?
8. ¿Quién cantó en el concierto de antenoche?
9. ¿Durmieron Uds. bien anoche?
10. ¿Pasó Ud. por la medicina a la farmacia?
11. ¿Cenaste con tu madrina el día de su cumpleaños?
12. ¿En qué año murieron Cervantes y Shakespeare?

PATRONES DEL IDIOMA C

1. ¿Cuándo empezó Ud. a construir su casa?	*When did you start building your house?*
La empecé a construir en enero.	*I began to build it in January.*
2. ¿Pudiste cambiarle el billete de a mil a Francisco?	*Were you able to change that thousanu peso bill for Francisco?*
No, no pude cambiárselo.	*No, I wasn't.*
3. ¿No te quiso dar chocolates Juan?	*Wouldn't Juan give you any chocolates?*
No, no me quiso dar.	*No, he wouldn't.*
4. ¿Tuvieron que comprarles muchos cuadernos a sus niños?	*Did you have to buy a lot of notebooks for your children?*
Sí, tuvimos que comprarles muchos. (Sí, les tuvimos que comprar muchos.)	*Yes, we had to buy a lot for them.*
5. Los contadores tuvieron que quedarse a trabajar anoche, ¿verdad?	*The accountants had to stay and work late last night, didn't they?*
Sí, tuvieron que quedarse toda la noche.	*Yes, they had to stay all night.*

EJERCICIO C

Conteste las preguntas.

1. ¿Cuándo empezaste a tomar este curso?
2. ¿Me pudo Ud. averiguar las direcciones de los clientes?
3. ¿No quiso darle propina al chofer el Sr. Vanderbilt?
4. Uds. les tuvieron que resolver muchos problemas a sus hijos, ¿verdad?
5. ¿Cuándo empezaron a estudiar alemán Pedro y Rodolfo?
6. ¿Quiénes no pudieron inscribirse en la Universidad?
7. Le tuviste que pedir una pluma a tu compañero, ¿no?
8. ¿No quiso recibirte el Lic. Ortega?
9. ¿Les pudo Ud. explicar la lección a los estudiantes nuevos?
10. Uds. tuvieron que prestarle dinero al mozo, ¿verdad?
11. ¿A qué horas se empezaron a desayunar los huéspedes?
12. ¿No te quiso esperar Francisco?

LECCIÓN IX

(9ª Lección)

PATRONES DEL IDIOMA A

1. ¿Cuánto tiempo hace que fueron a Acapulco Ernesto y Lidia?
   How long ago did Ernesto and Lidia go to Acapulco?

   Hace seis meses que fueron. (Fueron hace seis meses.)
   They haven't been there for six months.

2. ¿Cuánto tiempo hace que no van a Acapulco Ernesto y Lidia?
   How long has it been since Ernesto and Lidia went to Acapulco?

   Hace seis meses que no van. (No van desde hace seis meses.)
   It's been six months since they went.

3. ¿Cuándo le pusiste gasolina al coche?
   When did you get gas for the car?

   Hace dos días que le puse. (Le puse hace dos días.)
   I got it two days ago.

4. ¿Desde cuándo no le pones gasolina al coche?
   How long has it been since you put gas in the car?

   Hace dos días que no le pongo. (No le pongo desde hace dos días.)
   I haven't put any in it for two days.

5. ¿A qué horas vio Ud. a Pedro?
   What time did you see Pedro?

   Hace media hora que lo vi. (Lo vi hace media hora.)
   I saw him half an hour ago.

6. ¿Desde a qué horas no ve Ud. a Pedro?
   What time was it when you last saw Pedro?

   Hace media hora que no lo veo. (No lo veo desde hace media hora.)
   I haven't seen him for half an hour.

EJERCICIO I A

Conteste las preguntas.

Ejemplo: ¿Cuánto tiempo hace que fueron a Acapulco Ernesto y Lidia? (seis meses)

Hace seis meses que fueron. **o:** Fueron hace seis meses.

1. ¿Cuándo bañaste al perro? (quince días)
2. ¿Cuánto tiempo hace que cenaron Uds. con la familia Galindo? (mucho tiempo)

3. ¿A qué horas viste a la Sra. Ruiz?
(una hora)
4. ¿Cuánto tiempo hace que cruzó Ud. la frontera?
(un mes)
5. ¿Cuándo estudiaron química Angela y Alicia?
(cinco años)
6. ¿A qué horas hablaron Uds. con el doctor?
(tres horas)
7. ¿Cuánto tiempo hace que le pusiste gasolina al coche?
(dos días)
8. ¿Cuándo llovió por aquí?
(casi un año)
9. ¿A qué horas oyó Ud. las noticias por radio?
(cuatro horas)
10. ¿Cuánto tiempo hace que te visitaron tus suegros?
(tres meses)
11. ¿Cuándo pagaste la luz?
(mes y medio)
12. ¿A qué horas tomó Ud. la medicina?
(hora y media)

EJERCICIO II A

Conteste las preguntas.

Ejemplo: ¿Cuánto tiempo hace que no van a Acapulco Ernesto y Lidia?
(seis meses)

Hace seis meses que no van. **o:** No van desde hace seis meses.

1. ¿Desde cuándo no bañas al perro?
(quince días)
2. ¿Cuánto tiempo hace que no cenan Uds. con la familia Galindo?
(mucho tiempo)
3. ¿Desde a qué horas no ves a la Sra. Ruiz?
(una hora)
4. ¿Cuánto tiempo hace que no cruza Ud. la frontera?
(un mes)
5. ¿Desde cuándo no estudian química Ángela y Alicia?
(cinco años)
6. ¿Desde a qué horas no hablan Uds. con el doctor?
(tres horas)

7. ¿Cuánto tiempo hace que no le pones gasolina al coche? (dos días)
8. ¿Desde cuándo no llueve por aquí? (casi un año)
9. ¿Desde a qué horas no oye Ud. las noticias por radio? (cuatro horas)
10. ¿Cuánto tiempo hace que no te visitan tus suegros? (tres meses)
11. ¿Desde cuándo no pagas la luz? (mes y medio)
12. ¿Desde a qué horas no toma Ud. la medicina? (hora y media)

PATRONES DEL IDIOMA B

1. ¿Cuánto tiempo hace que conociste a la Srita. Gallardo? — *How long ago did you meet Miss Gallardo?*

   La conocí hace dos meses. (Hace dos meses que la conocí.) — *I met her two months ago.*

2. ¿Cuánto tiempo hace que conoces a la Srita. Gallardo? — *How long have you known Miss Gallardo?*

   La conozco desde hace dos meses. (Hace dos meses que la conozco.) — *I've known her for two months.*

3. ¿Cuándo empezó Ud. a manejar? — *When did you begin to drive?*

   Empecé a manejar hace diez años. (Hace diez años que empecé a manejar.) — *I began to drive ten years ago.*

4. ¿Desde cuándo maneja Ud.? — *How long have you been driving?*

   Manejo desde hace diez años. (Hace diez años que manejo.) — *I've been driving for ten years.*

5. ¿A qué horas llegaron Uds.? — *What time did you get here?*

   Llegamos hace una hora. (Hace una hora que llegamos.) — *We got here an hour ago.*

6. ¿Desde a qué horas están Uds. aquí? — *How long have you been here?*

   Estamos aquí desde hace una hora. (Hace una hora que estamos aquí.) — *We've been here for an hour.*

EJERCICIO I B

Ejemplo a: **a.** ¿Cuánto tiempo hace que ______________?
b. __________ hace dos meses.
a. ¿Cuánto tiempo hace que ______________?
b. __________ desde hace dos meses.

(recibirse - de enfermera Margarita)
(ser - enfermera Margarita)

a. ¿Cuánto tiempo hace que se recibió de enfermera Margarita?
b. Se recibió hace dos meses.
a. ¿Cuánto tiempo hace que es enfermera Margarita?
b. Es enfermera desde hace dos meses.

1. saber - Uds. la verdad
   saber - Uds. la verdad
2. inscribirse - esos jóvenes aquí
   estudiar - esos jóvenes aquí
3. comprar - Ud. la camioneta
   tener - Ud. la camioneta
4. aprender - esa canción Anita
   saber - esa canción Anita
5. irse - tus padres a Francia
   estar - tus padres en Francia
6. empezar - las clases
   haber - clases

Ejemplo b: **a.** ¿A qué horas ______________?
b. __________ hace una hora.
a. ¿Desde a qué horas ______________?
b. __________ desde hace una hora.

(dormirse - tu hermanita)
(estar - dormida tu hermanita)

a. ¿A qué horas se durmió tu hermanita?
b. Se durmió hace una hora.
a. ¿Desde a qué horas está dormida tu hermanita?
b. Está dormida desde hace una hora.

1. saber - Ud. la noticia
   saber - Ud. la noticia
2. despertarse - tus padres
   estar - despiertos tus padres
3. recibir - el cheque el subgerente
   tener - el cheque el subgerente
4. venir - Uds.
   estar - Uds. aquí
5. empezar - las clases hoy
   haber - clases hoy
6. averiguar - Ud. la dirección de Lupe
   saber - Ud. la dirección de Lupe

EJERCICIO II B

Ejemplo: a. ¿Cuándo ____________________?

b. Hace ... que ____________________.

a. ¿Desde cuándo ________________?

b. Hace ... que ______________.

(distribuir - esos productos la compañía)
(seis meses)

a. ¿Cuándo empezó a distribuir esos productos la compañía?

b. Hace seis meses que empezó a distribuirlos.

a. ¿Desde cuándo distribuye esos productos la compañía?

b. Hace seis meses que los distribuye.

1. recibir - Uds. esa revista por correo
año y medio
2. buscar - departamento la Sra. Torres
ocho días
3. traducir - Ud. del francés al inglés
casi tres años
4. producir - motores esa fábrica
cinco años
5. sentirse - enfermo Roberto
dos días
6. faltar - a clases Gloria y Laura
una semana

LECTURA I

Ayer en la mañana me desperté a las siete y media. Me levanté inmediatamente y me bañé. Después me vestí y me peiné. Fui al comedor, me desayuné y oí las noticias por radio.

A las nueve me fui a la oficina. Encontré la correspondencia en mi escritorio. La leí y la contesté. A las diez tuve una junta con los vendedores de la compañía. Luego, recibí a unos clientes. A las doce, mi secretaria me entregó unas cartas; las firmé y el mozo las llevó al correo.

Salí a comer a la una. En el restaurante me encontré a unos amigos. Hablamos de nuestros días de escuela y recordamos a nuestros compañeros y maestros. Estuvimos muy contentos y la comida nos gustó mucho. Después de pagar la cuenta, me despedí de mis amigos y volví a la oficina. Trabajé de las tres a las siete.

En la noche cené en casa con mi familia. Mi esposa acostó a los niños y los durmió. Después, ella y yo fuimos al teatro. Llegamos a las nueve y la función empezó a las nueve y cuarto. Nos divertimos mucho porque vimos una obra muy buena. La función terminó a las once.

Cuando volvimos a casa, mi esposa se quedó en la sala para ver un programa de televisión, pero yo me acosté y me dormí inmediatamente.

LECCIÓN X

(10ª Lección)

PATRONES DEL IDIOMA A

1. Siempre se pierden las llaves.	*Keys are always getting lost.*
Siempre se me pierden las llaves.	*I'm always losing my keys.*
2. Se descompuso la aspiradora ayer, ¿verdad?	*The vacuum cleaner broke down yesterday, didn't it?*
Se te descompuso la aspiradora ayer, ¿verdad?	*Your vacuum cleaner broke down yesterday, didn't it?*
3. ¿Se rompieron los anteojos?	*Did the (eye)glasses break?*
¿A Ud. se le rompieron los anteojos?	*Did you break your glasses?*
4. Se cayeron varias tazas.	*Several cups fell on the floor.*
A la sirvienta se le cayeron varias tazas.	*The servant dropped several cups.*
5. Se acabó el gas.	*There's no more gas.*
Al encendedor se le acabó el gas.	*The lighter is out of gas.*
6. Aquí nunca se echa a perder la fruta.	*Fruit never spoils here.*
Aquí nunca se nos echa a perder la fruta.	*Our fruit never spoils here (goes bad on us).*
7. Se enfría la sopa.	*The soup is getting cold.*
A Uds. se les enfría la sopa.	*Your soup is getting cold.*
8. Se va la luz de vez en cuando.	*The lights go out from time to time.*
A los vecinos se les va la luz de vez en cuando.	*The neighbors' lights go out once in a while.*

EJERCICIO I A

Ejemplo: Siempre se pierden las llaves.
(a mí)
A mí siempre se me pierden las llaves.

1. Se descompusieron los teléfonos del despacho.
(a nosotros)
2. Se cayó el encendedor.
(a ese señor)
3. Se rompió el saco.
(a ti)
4. Se acaban los folletos cada semana.
(a los vendedores)

5. Se echaron a perder las verduras.
   (a mi mamá)
6. Se enfrió la sopa.
   (a los huéspedes)
7. Se fue el autobús de las ocho.
   (a mí)
8. Se terminan las vacaciones el día último, ¿no?
   (a Ud.)
9. Se perdió un billete de a quinientos, ¿verdad?
   (a Uds.)
10. Nunca se rompen los platos cuando los lavas.
    (a ti)
11. Se acabó la gasolina en la carretera.
    (al camión)
12. Se va la luz de vez en cuando.
    (a nosotros)

EJERCICIO II A

Ejemplo: Se te descompuso la aspiradora.
(romperse - varias tazas)

Se te rompieron varias tazas.

1. Se me acaba el dinero cuando voy al centro.
   (irse - el tranvía de vez en cuando)
2. Se les muere el gato si no le dan la medicina.
   (echarse a perder - la carne si la dejan allí)
3. Siempre se le rompen los anteojos a mi abuelito.
   (enfriarse - el café)
4. Se le cayeron a Ud. estos papeles.
   (apagarse - el cigarro)
5. Se nos perdieron unos timbres de correo.
   (arreglarse - el negocio ayer)
6. Nunca se me descompone este reloj.
   (siempre - acabarse - el gas cuando tengo invitados a cenar)
7. Se les murió el perro a mis sobrinitos.
   (caerse - los dulces)
8. Se le enfriaron las tortillas a Carmen.
   (ya - terminarse - las vacaciones)
9. ¿Cuándo se le perdió a Ud. el pasaporte?
   (¿por qué - irse - el tren?)

10. Se nos descompusieron varias máquinas de escribir.
(echarse a perder - los chocolates de esa caja)
11. ¿A Uds. nunca se les pierde la llave del coche?
(¿romperse - sus discos?)
12. ¿Qué se le cayó a Ud.?
(¿qué - perderse?)

PATRONES DEL IDIOMA B

1. ¿Qué se le olvidó a Ud.? — *What did you forget?*
Se me olvidaron los papeles. — *I forgot the papers.*

2. ¿Ya se te quitó el dolor de muelas? — *Has your toothache gone away?*
Sí, ya se me quitó. Gracias. — *Yes, it has. Thanks.*

3. ¿A quién se le quemó el pastel? — *Who let the cake burn?*
Se le quemó a María. — *María did.*
Se me quemó a mí. — *I did.*

4. ¿Dónde se les perdió a Uds. la libreta de direcciones? — *Where did you lose your address book?*
Se nos perdió en la estación del ferrocarril. — *We lost it at the railroad station.*

5. ¿A quiénes se les olvidó hacer la tarea? — *Who forgot to do the homework?*
Se les olvidó a Mario y a Jorge. — *Mario and Jorge forgot.*
Se nos olvidó a nosotros. — *We forgot.*

6. Se me acaba de ocurrir una idea. (Acaba de ocurrírseme una idea.) — *I just got an idea.*

EJERCICIO I B

Ejemplo a: ¿Qué se le olvidó a Ud.?
Se me olvidaron los papeles.

(quemarse)
(el pan)

¿Qué se le quemó?
Se me quemó el pan.

1. olvidarse
apagar la luz
2. perderse
mi abrigo
3. descomponerse
la aspiradora
4. romperse
varias tazas
5. caerse
la cartera
6. echarse a perder
la carne y el queso

Ejemplo b: ¿Ya se te quitó el dolor de muelas?
Sí, ya se me quitó.

(olvidarse - los nombres de los testigos)

¿Ya se te olvidaron los nombres de los testigos?
Sí, ya se me olvidaron.

1. quemarse - las tortillas
2. acabarse - los zapatos
3. enfriarse - el chocolate
4. irse - la idea
5. arreglarse - tu problema
6. perderse - los papeles

Ejemplo c: ¿A quién se le quemó el pastel?
Se le quemó a María.

(ocurrirse - esta idea)
(a nosotros)

¿A quién se le ocurrió esta idea?
Se nos ocurrió a nosotros.

1. olvidarse - venir a la junta
al Sr. Cervantes y al Sr. González
2. perderse - la libreta de direcciones
a la Srita. López
3. descomponerse - el refrigerador
a nosotros
4. romperse - los pantalones
a mi hijo
5. ocurrirse - venir a este lugar
a mí
6. caerse - este pañuelo
a María Luisa

Ejemplo d: ¿Dónde se les perdió a Uds. la libreta de direcciones?
Se nos perdió en la estación de ferrocarril.

(olvidarse - los pasaportes)
(en casa)

¿Dónde se les olvidaron los pasaportes?
Se nos olvidaron en casa.

1. descomponerse - la camioneta
cerca de aquí
2. caerse - la lámpara
en la escalera
3. apagarse - las luces del coche
en la carretera
4. acabarse - la gasolina
en la esquina
5. perderse - la pelota
en el jardín
6. olvidarse - las maletas
en la estación del ferrocarril

EJERCICIO II B

Ejemplo: Se me acaba de ocurrir una idea.
Acaba de ocurrírseme una idea.
(ir a perdérsele - esos billetes a Ud.)
Se le van a perder esos billetes a Ud.
Van a perdérsele esos billetes a Ud.

1. empezar a rompérsete - la camisa
2. poder olvidársenos - pasar por Jorge
3. acabar de quitárseme - el dolor de cabeza
4. ir a quemárseles - los pasteles a Uds.
5. empezar a enfriársele - la sopa a Antonio
6. poder caérseles - ese mueble a los niños

EJERCICIO III

Llene los espacios con la forma correcta del verbo en pretérito.

1. Graciela y Guillermo ______________ la fecha de su boda.
(cambiar)
2. ¿Quién ______________ la puerta del garage?
(abrir)
3. ¿______________ Ud. ese artículo del periódico? No, no lo ______________.
(entender) (entender)
4. Mi papá me ______________ un traje el día de mi cumpleaños.
(dar)
5. Esa compañía ______________ productos ingleses en todos los países de América.
(distribuir)
6. ¿______________ Uds. mal después de la cena? No. ______________ muy bien.
(sentirse) (sentirse)
7. A mis primos les ______________ aprender idiomas. Ahora trabajan en las Naciones Unidas.
(convenir)
8. Ayer ______________ que comprar más refrescos porque ______________ muchos invitados en la fiesta.
(haber) (haber)
9. ¿Cuánto tiempo hace que ______________ a la peluquería?
(tú - ir)
10. El Sr. Arreola nos ______________ varias novelas españolas contemporáneas.
(prestar)

11. Hoy no ____________ la cocina porque no ____________ tiempo.
(yo - barrer) (tener)

12. Nosotros ____________ en unos sillones muy incómodos.
(sentarse)

13. ¿Por qué no ____________ las señales de tránsito?
(tú - obedecer)

14. ¿Le ____________ Ud. nuestro problema al abogado? Sí, ya se lo ____________.
(explicar) (explicar)

15. Yo no ____________ . ____________ Juan José.
(reírse) (reírse)

16. Mis tíos no ____________ chocolate. ____________ café con leche.
(querer) (preferir)

17. Estas acciones no ____________ ganancias el año pasado.
(producir)

18. Uds. ____________ maestros de geografía en San Francisco, ¿verdad?
(ser)

EJERCICIO IV

Conteste las preguntas.

1. ¿Qué se te perdió?
2. ¿Cuándo se le terminan a Ud. las vacaciones?
3. ¿Se le quitó el dolor de estómago a Fernando?
4. ¿Cuánto tiempo hace que no llueve?
5. ¿Desde cuándo no le pones gas a tu encendedor?
6. ¿Cuánto tiempo hace que empezó Ud. a estudiar aquí?
7. ¿Cuándo conociste a Lidia?
8. ¿Cuánto tiempo hace que no van Uds. al circo?
9. ¿A qué horas llegaron los estudiantes?
10. ¿Cuánto les costó a Uds. el televisor nuevo?
11. ¿Quién se llevó mi libro ayer?
12. ¿Recibieron Uds. carta de su familia?
13. ¿Cuánto tiempo estuviste en el Canadá?
14. ¿Repitió Ud. el primer curso?
15. ¿Siguieron Uds. las instrucciones para hacer el ejercicio?
16. ¿Cuántos años cumplió tu sobrina?
17. ¿A qué horas cerraron las tiendas el sábado?
18. ¿Dónde dejaron Uds. el coche?

LECCIÓN XI

(11ª Lección)

PATRONES DEL IDIOMA A

1. Antes, yo no hablaba español pero lo entendía un poco porque vivía cerca de la frontera mexicana.
   I didn't use to speak Spanish but I could understand it a little because I lived near the Mexican border.
2. Ayer estabas muy decaído. ¿Te sentías mal? ¿Tenías fiebre?
   You didn't look well yesterday. Didn't you feel well? Did you have a fever?
3. Nuestro profesor de griego se llamaba Ángel Mateos. Sabía su materia perfectamente. Era muy joven y vestía muy bien.
   Our Greek professor's name was Ángel Mateos. He knew his subject perfectly. He was very young and he dressed well.
4. Hace cinco años no teníamos coche. No necesitábamos porque preferíamos ir a pie a todas partes.
   We didn't have a car five years ago. We didn't need one because we preferred to walk wherever we went.
5. ¿Estaban Uds. sentados muy lejos del escenario? ¿Podían ver bien? ¿Oían bien a los actores?
   Were you sitting far from the stage? Were you able to see well? Could you hear the actors well?
6. Cuando Amparo y Rosario eran solteras, bailaban muy bien y conocían a muchos muchachos. Sus padres no les permitían salir solas.
   When Amparo and Rosario were single, they were very good dancers and they knew a lot of boys. Their parents would never allow them to go out alone.
7. Nos gustaba el trabajo y nos parecía muy bueno el sueldo, pero el horario no nos convenía.
   We liked the job and the salary seemed to be very good, but the working hours didn't suit us.

EJERCICIO I A

Ejemplo a: Antes, yo hablaba español porque vivía cerca de la frontera mexicana.
Antes, Laura hablaba español porque vivía cerca de la frontera mexicana.

(necesitar - vacaciones ... sentirse - muy decaído)

Antes, yo necesitaba vacaciones porque me sentía muy decaído.
Antes, Laura necesitaba vacaciones porque se sentía muy decaída.

1. pensar - estudiar en la Universidad ... querer - ser dentista
2. estar - muy triste ... no - tener - amigos aquí
3. rentar - un cuarto ... no - poder - pagar un departamento
4. cantar - bien ... tener - tiempo para estudiar
5. trabajar - más ... deber - mucho dinero
6. no - tomar - café ... preferir - tomar leche

Ejemplo b: Cuándo estabas enfermo, ¿tenías fiebre?
(trabajar - en el banco, ¿vestir - bien?)
Cuando trabajabas en el banco, ¿vestías bien?

1. estudiar - en el Politécnico, ¿poder - faltar a clases de vez en cuando?
2. jugar - tenis en el club, ¿preferir - jugar en la tarde o en la mañana?
3. estar - en París, ¿entender - el francés perfectamente?
4. manejar, ¿obedecer - todas las señales de tránsito?
5. no - hablar - español, ¿sentirse - a gusto aquí?
6. pensar - vender tu negocio, ¿deber - mucho dinero?

Ejemplo c: Hace cinco años no necesitábamos coche porque preferíamos ir a pie a todas partes.
(trabajar - en esa fábrica ... tener un tío allí)
Hace cinco años trabajábamos en esa fábrica porque teníamos un tío allí.

1. no - tomar - café en la noche ... no - poder - dormir
2. pensar - buscar casa ... no - caber - en el departamento
3. no - manejar - aquí ... no - conocer - la ciudad
4. necesitar - chofer ... no - saber - manejar
5. no - estudiar ... no - tener - tiempo
6. jugar - ajedrez muy bien ... conocer - a un profesor muy bueno

Ejemplo d: ¿Estaba Ud. sentado muy lejos del escenario? ¿Oía bien a los actores?
¿Estaban Uds. sentados muy lejos del escenario? ¿Oían bien a los actores?
(¿bailar - bien? ¿conocer - a muchas muchachas?)
¿Bailaba Ud. bien? ¿Conocía a muchas muchachas?
¿Bailaban Uds. bien? ¿Conocían a muchas muchachas?

1. ¿estar - decaído(s)? ¿sentirse - mal?
2. ¿necesitar - vacaciones? ¿tener - que hablar con el jefe?
3. ¿pensar - estudiar esa materia? ¿conocer - al maestro Mateos?
4. ¿trabajar - lejos de su casa? ¿comer - en un restaurante?
5. ¿tomar - café con leche? ¿preferir - tomar chocolate?
6. ¿no - hablar - italiano? ¿no - tener - tiempo para tomar clases?

EJERCICIO II A

Ejemplo: A nosotros nos parecía muy bueno el sueldo.
(a mí me - gustar - mucho las películas de vaqueros)
A mí me gustaban mucho las películas de vaqueros.

1. a Ángel sí le - interesar - esas materias
2. a Uds. les - servir - la aspiradora
3. a ti te - simpatizar - mucho esos actores
4. a los estudiantes no les - convenir - el horario
5. a Ud. le - costar - muy caros los juguetes en Navidad
6. a mí nunca me - doler - las muelas

EJERCICIO III A

Ejemplo: Cuando Rosario y Amparo eran solteras, conocían a muchos muchachos.
(Rosario)

Cuando Rosario era soltera, conocía a muchos muchachos.

1. Cuando yo era niño, entendía español un poco.
(nosotros)
2. Cuando tú eras socio del Club Deportivo, jugabas tenis muy bien, ¿verdad?
(Uds.)
3. Cuando Uds. eran estudiantes, rentaban un cuarto en una casa de huéspedes, ¿no?
(tú)
4. Cuando mi papá era joven, vivía solo en Bogotá.
(mis tíos)
5. Cuando nosotros éramos ricos, éramos vecinos de los Vanderbilt.
(yo)
6. Cuando Uds. eran maestros, ¿les permitían llegar tarde a los estudiantes?
(Ud.)

PATRONES DEL IDIOMA B

1. Antes de recibirme, me iba al club a las siete todos los días. Nadaba un rato y hacía un poco de ejercicio en el gimnasio. A las ocho, salía para la escuela.

   Before I graduated, I used to go to the club at seven o'clock every morning. I would swim for a while and do a few exercises in the gym. At eight o'clock, I would go to school.

2. Cuando ibas a la Universidad, ¿que hacías en las vacaciones? ¿Descansabas o te inscribías en los cursos de verano?

   When you were in college, what did you use to do during vacation? Did you rest or did you enroll in the summer courses?

3. Todas las mañanas, mi abuelita se iba a la iglesia y oía misa. En las tardes daba una vuelta por el parque y en las noches veía la televisión.	*Every morning, my grandmother used to go to Mass. In the afternoons, she would take a walk in the park and at night she would watch television.*
4. Cuando íbamos de día de campo, nos divertíamos mucho. Caminábamos por el bosque y comíamos cerca del río.	*When we went on a picnic we always had a good time. We used to walk through the woods and we would have lunch near the river.*
5. ¿Qué tranvía tomaban Uds. cuando iban al centro? ¿En qué esquina se subían? ¿Dónde tenían que bajarse?	*What streetcar did you use to take when you went downtown? Where did you get on and where did you have to get off?*

EJERCICIO I B

Ejemplo a:

Antes de recibirme, nadaba un rato y hacía un poco de ejercicio todos los días.
Antes de recibirse, Ángel nadaba un rato y hacía un poco de ejercicio todos los días.

(levantarse - a las siete ... salir - para la escuela a las ocho)

Me levantaba a las siete y salía para la escuela a las ocho.
Ángel se levantaba a las siete y salía para la escuela a las ocho.

1. trabajar - en el verano ... salir - de vacaciones en Navidad
2. jugar - tenis en el club todos los días ... divertirse - mucho
3. dar - una vuelta por el parque en la tarde ... después - hacer - la tarea
4. acostarse - a las diez ... dormirse - inmediatamente
5. no - descansar - en las vacaciones ... inscribirse - en los cursos de verano
6. desayunarse - a las siete ... comer - a la una

Ejemplo b: ¿Descansabas cuando salías de vacaciones?
(tomar ese tranvía ... tener - que ir al doctor)
¿Tomabas ese tranvía cuando tenías que ir al doctor?

1. lavar - los platos también ... hacer - la comida
2. acostarse - temprano ... tener - exámenes
3. dar - propina ... comer - en el restaurante de la esquina
4. faltar - a clases ... sentirse - mal
5. buscar - las palabras en el diccionario ... no las - entender
6. visitar - a tus amigos ... querer - comer bien

Ejemplo c: Los domingos, caminábamos por el bosque y comíamos cerca del río.
(nadar - un rato ... hacer - un poco de ejercicio)
Nadábamos un rato y hacíamos un poco de ejercicio.

1. descansar - en casa ... leer - los periódicos
2. dar - una vuelta por el parque ... oir - misa en la catedral
3. levantarse - temprano ... salir - de día de campo
4. llevar - a los niños al circo ... divertirse - mucho
5. lavar - el coche ... barrer - el patio
6. quedarse - en casa ... recibir - a nuestros amigos

Ejemplo d: ¿En qué esquina se subía Ud. al tranvía? ¿Dónde se bajaba?
¿En qué esquina se subían Uds. al tranvía? ¿Dónde se bajaban?
(¿dormir - bien? ¿levantarse - temprano?)
¿Dormía Ud. bien? ¿Se levantaba temprano?
¿Dormían Uds. bien? ¿Se levantaban temprano?

1. ¿a qué horas - abrir - su despacho? ¿a qué horas lo - cerrar?
2. ¿repetir - las oraciones en voz alta? ¿hablar - con sus amigos en español?
3. ¿hacer - ejercicio en el gimnasio todos los días? ¿nadar - los domingos?
4. ¿inscribirse - en el Club de Conversación? ¿tomar - su clase en la tarde?
5. ¿a qué hora - salir - de la casa? ¿llegar - a tiempo a la oficina?
6. ¿venir - a clase todos los días? ¿nunca - faltar?

Ejemplo e: Mis abuelitos oían misa todas las mañanas y después daban una vuelta.
(les - leer - cuentos a los niños ... los - acostar - temprano)
Les leían cuentos a los niños y los acostaban temprano.

1. escribir - sus cartas en la mañana ... las - llevar - al correo en la tarde
2. hacer - chocolate los domingos ... merendar - con la familia
3. comer - a las doce ... visitar - a sus amigos en la tarde
4. encender - el televisor a las seis ... lo - apagar - a las nueve
5. salir - al jardín en la tarde ... caminar - un rato
6. subirse - a su cuarto a las diez ... acostarse - inmediatamente

EJERCICIO II B

Ejemplo: ¿Veías a Ernesto cuando ibas al gimnasio?
(Uds.)

¿Veían Uds. a Ernesto cuando iban al gimnasio?

1. Antes íbamos mucho al cine, pero nunca veíamos películas de vaqueros.
(yo)
2. Uds. siempre veían a la Sra. Mateos cuando iban por los niños al colegio, ¿no?
(Ud.)
3. Cuando mi amigo no veía a Rosario en clase, iba a verla a su casa.
(mis amigos)
4. Elsie y Marie iban mucho al teatro. Siempre veían obras en español.
(Elsie)
5. Uds. veían al maestro de griego todos los días cuando iban a la Universidad.
(tú)
6. Cuando yo iba a la estación de ferrocarril, veía llegar y salir los trenes.
(nosotros)

LECCIÓN XII

(12ª Lección)

PATRONES DEL IDIOMA A

1. ¿Siempre te bañabas con agua fría?	*Did you always use to take cold showers?*
Sí, antes siempre me bañaba con agua fría.	*Yes, I always used to take cold showers.*
2. ¿Estaba Ud. cansado anoche?	*Were you tired last night?*
Sí, estaba muy cansado.	*Yes, I was very tired.*
3. ¿Recorría el gerente las sucursales muy seguido?	*Did the manager use to visit the branch offices very often?*
Sí, las recorría por lo menos una vez al mes.	*Yes, he used to visit them at least once a month.*
4. ¿Ya vivían Uds. en este departamento el año pasado?	*Were you living in this apartment a year ago?*
No, el año pasado todavía no vivíamos aquí.	*No, we weren't living here yet.*
5. ¿Todavía eran novios Carmen y Mario en diciembre?	*Were Carmen and Mario still going steady in December?*
No, en diciembre ya no eran novios.	*No, in December they weren't going steady any more.*
6. Antes se les echaba a perder la fruta, ¿verdad?	*Your fruit used to spoil, didn't it?*
Sí, se nos echaba a perder porque no teníamos refrigerador.	*Yes, our fruit used to spoil because we didn't have a refrigerator.*

EJERCICIO I A

Ejemplo a: ¿Siempre te bañabas con agua fría?
Sí, antes siempre me bañaba con agua fría.

(traer - el diccionario)

¿Siempre traías el diccionario?
Sí, antes siempre lo traía.

1. sentarse - cerca de María Elena
2. servir - la comida a la una
3. pagar - la renta el día último
4. perder - las llaves
5. estar - en tu casa en la tarde
6. ir - al cine los sábados

Ejemplo b: ¿Estaba Ud. cansado anoche?
Sí, estaba muy cansado.

(vivir - cerca de aquí el año pasado)

¿Vivía cerca de aquí el año pasado?
Sí, vivía cerca de aquí el año pasado.

1. le - prestar - sus discos a Lupe
2. querer - sus vacaciones en julio
3. antes - fumar - mucho
4. ser - profesor de literatura
5. siempre - despertarse - temprano
6. invertir - su dinero en acciones

Ejemplo c: ¿Ya vivían Uds. en este departamento el año pasado?
No, el año pasado todavía no vivíamos aquí.

(dejar - a los niños solos en casa)

¿Ya dejaban a los niños solos en casa el año pasado?
No, el año pasado todavía no los dejábamos solos en casa.

1. tener - esa aspiradora
2. estudiar - en el Instituto
3. traducir - artículos para el periódico
4. entrar - al trabajo a las ocho
5. ser - socios de la compañía
6. estar - aquí

Ejemplo d: ¿Todavía eran novios Carmen y Mario en diciembre?
No, en diciembre ya no eran novios.

(estudiar - en Suiza)

¿Todavía estudiaban en Suiza?
No, ya no estudiaban en Suiza.

1. vender - vestidos
2. buscar - departamento
3. ir - a las juntas del club
4. dar - clases de piano
5. te - deber - dinero
6. estar - en Suecia

EJERCICIO II A

Ejemplo: ¿Recorría el gerente las sucursales muy seguido?
Sí, las recorría por lo menos una vez al mes.

(te - mandar - tu tía regalos)
(tres veces al año)

¿Te mandaba tu tía regalos muy seguido?
Sí, me mandaba por lo menos tres veces al año.

1. ir - tu cuñado al teatro
   una vez a la semana
2. le - comprar - Miguel ropa al niño
   seis veces al año
3. te - pedir - tu hermano el automóvil
   tres veces a la semana
4. nadar - tu primo en el club
   cuatro veces a la semana
5. ver - Teresa a su madrina
   cinco veces al mes
6. cenar - tu suegra en tu casa
   dos veces a la semana

EJERCICIO III A

Ejemplo: Antes se les echaba a perder la fruta, ¿verdad?
Sí, se nos echaba a perder porque no teníamos refrigerador.

(írsele - las sirvientas a la Sra. Ortiz)
(les - pagar - muy poco)

Antes se le iban las sirvientas a la Sra. Ortiz, ¿verdad?
Sí, se le iban porque les pagaba muy poco.

1. acabársete - los zapatos en un mes
   caminar - mucho
2. rompérsele - a Ud. muchos platos
   no - saber - lavarlos
3. olvidárseles - a Uds. sus cuadernos en el salón
   siempre - tener - prisa
4. perdérsele - las muñecas a tu sobrinita
   las - llevar - a todas partes
5. quemársele - los pasteles a Rosario
   ser - muy mala cocinera
6. descomponérsete - el coche muy seguido
   tener - que manejar en carreteras muy malas

EJERCICIO IV

Cambie las oraciones al copretérito.

Ejemplo: Estoy muy gordo. Ya no quepo en la ropa.
Estaba muy gordo. Ya no cabía en la ropa.

1. La última función empieza al cuarto para las diez y termina a las once.
2. El Sr. San Martín recorre las sucursales por lo menos una vez al mes.
3. Cada año se reciben de abogados muchos estudiantes.
4. ¡Siempre me caigo en esa escalera!
5. ¿Por qué se ríe Ud. de sus compañeros?
6. Mi mamá se divierte mucho cuando ve películas de Cantinflas.
7. Los hijos de los vecinos siempre me rompen los vidrios de la ventana.
8. Los Ings. Gutiérrez y Moreno construyen carreteras en toda la república.
9. ¿Nunca se te olvida traer la tarea?
10. La secretaria del Sr. Cervantes viste muy bien. Tiene vestidos muy bonitos.
11. A mí siempre se me ocurren ideas muy buenas, ¿verdad?
12. ¿Quién sigue? ¿Sigue Ud.?

EJERCICIO V

Cambie las oraciones al presente.

Ejemplo: Cuando me desayunaba a las siete, a la una ya me moría de hambre.
Cuando me desayuno a las siete, a la una ya me muero de hambre.

1. Se rentaba un departamento en el edificio de la esquina.
2. Se prohibía el paso en esta calle cuando los niños salían del colegio.
3. Nunca comíamos carne los viernes.
4. Uds. nunca volvían a casa antes de las seis, ¿verdad?
5. Amparo y Lidia casi siempre terminaban el trabajo a tiempo.
6. ¿No recordabas mi dirección?
7. El mozo sacudía los muebles del comedor y de la sala todos los días.
8. La compañía solicitaba choferes con referencias.
9. De vez en cuando, nos sobraba leche porque mi hermano cenaba en el centro.
10. Mi primo estudiaba física y siempre me resolvía los problemas de álgebra.
11. Las fábricas del país ya producían motores para avión.
12. Yo no cabía en el cochecito de Luis.

EJERCICIO VI

Ejemplo: Antes, había corridas de toros en ese pueblo. Ahora ya no hay.
(las juntas del consejo - ser - los martes ... ser - los jueves)
Antes, las juntas del consejo eran los martes. Ahora son los jueves.

1. la Sra. Rivera - peinarse - sola ... peinarse - en el salón de belleza
2. mi novia y yo - ir - a la ópera cada semana ... ir - de vez en cuando
3. yo - trabajar - en una mueblería ... trabajar - en una agencia de viajes
4. Ud. - ponerse - el traje gris muy seguido ... ya casi nunca - ponérselo
5. Uds. siempre - ver - ese programa de televisión ... ya no lo - ver
6. mis padres me - prohibir - fumar ... ya no me lo - prohibir
7. tu prima Margarita - estar - gorda ... estar - muy delgada
8. tú - oir - los conciertos de la sinfónica por radio ... ya no los - oir
9. yo - poner - la mesa a las tres ... la - poner - a la una
10. las inscripciones - ser - en febrero ... ser - en enero
11. ese parque - llamarse - Jardín de San Fernando ... llamarse - Parque Simón Bolívar
12. no - haber - agua caliente en el hotel ... sí - haber

EJERCICIO VII

Conteste las preguntas.

1. ¿Se iba Ud. a la escuela a pie cuando era niño?
2. ¿Ya venían Uds. al Club de Conversación el mes pasado?
3. ¿Te levantabas temprano cuando estabas de vacaciones?
4. ¿Quién contestaba el teléfono en el despacho del Lic. González?
5. ¿A qué horas les entregaban a Uds. la leche antes?
6. Ayer estabas muy decaído. ¿Estabas enfermo?
7. ¿Por qué nunca devolvía Ud. los libros a la biblioteca a tiempo?
8. ¿Dónde vivían el año pasado?
9. Antes a Ud. se le quemaba la comida muy seguido, ¿verdad?
10. Antes nunca se te descomponía tu reloj, ¿verdad?
11. ¿Cuánto tiempo esperabas al dentista cuando ibas a su consultorio?
12. ¿En qué banco cambiaba Ud. sus cheques?
13. ¿Tenían Uds. hambre hoy en la mañana?
14. Antes hacías ejercicio por lo menos quince minutos todos los días, ¿no?
15. ¿Salían Uds. de día de campo muy seguido?
16. ¿Qué hacía Ud. los domingos?

LECCIÓN XIII

(13ª Lección)

PATRONES DEL IDIOMA A

1. Blanca cocinaba mientras Rosa María lavaba y planchaba. (Blanca cocinaba mientras que Rosa María lavaba y planchaba.)

   Blanca used to cook while Rosa María would wash and iron.

2. Cuándo preparábamos nuestras lecciones, usábamos aquel diccionario.

   We used to use that dictionary when we did our homework.

3. Como aquellas muchachas nos caían mal, no las invitábamos a nuestras fiestas.

   Since we didn't like those girls, we didn't use to invite them to our parties.

   (Aquellas muchachas nos caían mal. Por eso no las invitábamos a nuestras fiestas.)

   (We didn't like those girls. That's why we didn't use to invite them to our parties.)

4. El Lic. Aguilar no venía a las juntas porque siempre estaba muy ocupado.

   Mr. Aguilar didn't use to come to the meetings because he was always very busy.

EJERCICIO A

Ejemplo:

Blanca cocinaba mientras Rosa María lavaba y planchaba.

(como aquella señorita nos - caer - bien, la - invitar - a nuestras fiestas)

Como aquella señorita nos caía bien, la invitábamos a nuestras fiestas.

1. cuando yo - ser - joven, no - usar - anteojos
2. Blanca - cocinar - muy bien. Por eso me - gustar - mucho comer en su casa
3. el Sr. Aguilar - planchar - la ropa de sus hijos porque - ser - viudo
4. nosotros - ver - la televisión mientras que la cocinera - preparar - la cena
5. como yo siempre - tener - prisa, vestirse - en cinco minutos
6. mis primos - usar - aquellos diccionarios cuando - preparar - sus lecciones
7. aquel perro - querer - mucho a Sergio. Por eso lo - seguir - a todas partes
8. mientras que Alicia - lavar - y - planchar -, su hermana - cocinar
9. mientras nosotros - pasar - por Ángela, Ricardo nos - esperar - en aquella esquina
10. como mis abuelitos no - oir - bien, nunca - ir a la ópera
11. tú les - comprar - dulces a las secretarias porque te - caer - bien, ¿verdad?
12. nosotros - bañarse - mientras María nos - preparar - el desayuno

PATRONES DEL IDIOMA B

1. Los contadores se quedaban en la oficina hasta que terminaban el balance. — *The accountants used to stay at the office until they finished the accounts.*
2. No nos sentábamos a la mesa hasta que llegaba mi papá. — *We wouldn't sit down to dinner until father got home.*
3. Si yo devolvía los libros a tiempo no tenía que pagar multa. — *If I returned the books on time, I didn't have to pay a fine.*
4. Mi mamá nunca me servía el postre si no me comía el guisado primero. — *Mother would never serve me dessert if I didn't eat my stew first.*
5. Primero nos tomábamos una copa y después cenábamos. — *First we'd have a drink and then we'd have supper.*
6. Tu te enojabas porque la sirvienta se tardaba mucho en el mercado, ¿no? — *You used to get mad because your maid would spend too much time at the market, didn't you?*

EJERCICIO I B

Ejemplo: Los contadores se quedaban en la oficina hasta que terminaban el balance.

(yo primero - tomarse - una copa y después - comer)

Yo primero me tomaba una copa y después comía.

1. nosotros nunca - empezar - a cenar hasta que - llegar - todos los invitados
2. si mis hijos no - comerse - el guisado primero, mi esposa no les - servir - el postre
3. Ud. - enojarse - porque la secretaria no - terminar - las cartas a tiempo
4. si Ángel - acostarse - tarde, no - ir - al club deportivo en la mañana
5. yo - leer - todas las noches hasta que - dormirse
6. Rosa María - barrer - la casa primero y después - hacer - la comida
7. mi mamá no - dormirse - hasta que - llegar - mi papá
8. si nosotros no - obedecer - las señales de tránsito, - tener - que pagar multa
9. antes tú - estudiar - tus lecciones hasta que las - aprender - perfectamente
10. si la sirvienta - tardarse - en el mercado, la Sra. Aguilar - enojarse
11. yo - invitar - a Blanca al cine porque ella me - lavar - y me - planchar - mis camisas
12. Uds. primero - hacer - ejercicio en el gimnasio y después - nadar - un poco, ¿verdad?

EJERCICIO II

Cambie las oraciones al copretérito.

Ejemplo: Cuando hace frío nos ponemos ropa de lana.
Cuando hacía frío nos poníamos ropa de lana.

1. El Sr. Ochoa ya no vende refacciones porque ese negocio ya no le conviene.
2. Cuando no cabemos todos en el coche, nos llevamos la camioneta.
3. Como mi tía no oye bien, siempre se sienta cerca del escenario.
4. Rodolfo quiere mucho a sus sobrinos. Por eso les compra dulces.
5. Los muchachos nadan en el río mientras nosotros damos una vuelta por el bosque.
6. Yo pongo la mesa mientras que ella hace el café.
7. El dolor de estómago no se me quita hasta que me tomo la medicina.
8. Nos subimos al autobús en esa esquina y nos bajamos a una cuadra de la casa.
9. ¿Ud. se enoja si el periódico llega tarde?
10. Tú siempre terminas el balance a tiempo porque empiezas a hacerlo muy temprano.
11. Uds. siempre se quedan en la oficina hasta que terminan el trabajo.
12. Primero lavamos los platos y después vemos la televisión un rato.

EJERCICIO III

Cambie las oraciones al copretérito.

Ejemplo: Visité muchos museos cuando estuve en Europa.
Visitaba muchos museos cuando estaba en Europa.

1. Mientras Ud. leyó el informe, las secretarias contestaron la correspondencia.
2. Mi suegro trabajó en el taller del ferrocarril cuando vivió en aquella ciudad.
3. Hubo una fiesta porque fue cumpleaños de Roberto.
4. La sirvienta estuvo enferma. Por eso tuvimos que arreglar la casa nosotros.
5. Como las tiendas estuvieron cerradas, no pudimos comprar más refrescos.
6. Mientras que tú barriste el patio yo hice las camas.
7. Merendé en casa porque salí temprano del despacho.
8. Los empleados no empezaron a trabajar hasta que Ud. entró.
9. Primero nos tomamos una copa y después hablamos de negocios.
10. Si sobró postre, Jorge se lo comió en la noche.
11. Ud. oyó el radio hasta que su esposa sirvió la cena.
12. Si no hizo buen tiempo, las muchachas no jugaron tenis.

LECTURA II

La familia Aguilar vive cerca de mi casa. El señor se llama Fernando Aguilar Pérez y es ingeniero civil. Su esposa se llama Marta Sánchez de Aguilar. Tienen cuatro hijos: dos niñas, Rosa María y Ofelia, y dos niños, Guillermo y Juan José.

El Ing. Aguilar es alto y está un poco gordo. Tiene treinta y siete años y es una persona muy amable. Es profesor de la universidad y da sus clases todas las mañanas de las siete a las diez. También es socio y subgerente de una compañía muy grande de ingenieros y arquitectos. La compañía construye casas, edificios comerciales y edificios de departamentos en la capital y en todo el país. El Ing. Aguilar tiene que recorrer la república para visitar todas las obras por lo menos una vez al año. Casi siempre lo hace en diciembre o en mayo, cuando hay vacaciones en la universidad.

La Sra. Aguilar es delgada, no muy alta, rubia y muy simpática. Tiene veintinueve años. Entre semana se levanta muy temprano y despierta a su esposo y a sus hijos. Mientras la cocinera hace el desayuno, ella pone la mesa. Después se desayuna con toda la familia. Lleva a los niños a la escuela y vuelve a casa. Mientras la sirvienta barre y sacude, se va con la cocinera al mercado. Los lunes y viernes va a peinarse al salón de belleza. De vez en cuando visita a sus amigas o ellas la visitan. Si el señor no llega a las dos, la Sra. Aguilar come con sus hijos porque como su esposo siempre está muy ocupado, a veces no puede ir a la casa a comer. En la tarde, mientras los muchachos estudian sus lecciones, su mamá les hace un pastel o les prepara un dulce. Cuando llega el señor, la familia cena. Los niños se acuestan después de cenar porque a esa hora ya están muy cansados y tienen mucho sueño. La Sra. Aguilar y su esposo casi siempre ven la televisión, oyen discos o leen un rato antes de acostarse.

Las dos niñas son muy bonitas. Rosa María tiene doce años. Está en sexto año en el colegio y quiere ser doctora. Ofelia tiene seis años y acaba de entrar a la escuela. Apenas está en primer año. Le gusta mucho bailar y toma clase de baile los sábados en la mañana. Guillermo tiene once años y es un niño muy inteligente. Ya está en quinto año. Como su papá es ingeniero, él también quiere ser ingeniero. Juan José tiene ocho años. Está en tercer año, pero es muy flojo. No le gusta ir a la escuela. Prefiere jugar con sus amigos en el parque. Le gusta ir con su papá al club y ya sabe nadar muy bien.

Los domingos, ______________________________

____

____

____

EJERCICIO

Repita la lectura, cambiando los verbos del presente al copretérito.

Read the above selection again, changing the verbs from the present to the imperfect.

LECCIÓN XIV

(14ª Lección)

PATRONES DEL IDIOMA A

1. Don Alfonso dejó un recado para Ud.	*Don Alfonso left a message for you.*
2. Arturo dice que quiere mucho a Rosa María y que no puede vivir sin ella.	*Arturo says that he loves Rosa María very much and that he can't live without her.*
3. Los vecinos se quejaron de nosotros con el dueño.	*The neighbors complained to the owner about us.*
4. Las visitas preguntaron por Uds.	*Our visitors asked about you.*
5. Doña Isabel echa de menos a sus nietos. Piensa en ellos todo el día.	*Doña Isabel misses her grandchildren. She thinks about them all day.*
6. ¿Está enojada conmigo Graciela?	*Is Graciela mad at me?*
Sí, está enojada contigo porque no bailaste con ella.	*Yes, she's mad at you because you didn't dance with her.*
7. ¿Es de Jaime este paraguas?	*Is this Jaime's umbrella?*
No, no es de él. Es mío.	*No, it isn't his. It's mine.*
8. El director nos quiere ver a ti y a mí en su oficina.	*The director wants to see you and me in his office.*
9. ¿Les pagaste su sueldo al jardinero y a la lavandera?	*Did you pay the gardener and the wash -woman their wages?*
A él sí se lo pagué pero a ella no.	*I paid him but I didn't pay her.*

EJERCICIO I A

Cambie al plural, según el ejemplo.
Change to the plural, as in the example.

Ejemplo: Don Alfonso dejó un recado para ***mí.***
Don Alfonso dejó un recado para nosotros.

1. Doña Isabel echaba de menos a ***su nieta.*** Pensaba en ***ella*** todo el día.
2. Las visitas preguntaron por ***Ud.*** ayer en la tarde.
3. ¿Por qué están Uds. enojados **conmigo**?
4. Los vecinos siempre se quejan de ***mí*** con el dueño del edificio.
5. Don Arturo quería mucho a ***su hijo.*** No podía vivir sin ***él.***
6. El director trajo estos folletos para ***Ud.***
7. Yo no voy a ir con ***él.*** Voy a ir **contigo.**
8. Jaime se siente muy triste sin ***ella.***
9. Tus compañeros no se rieron de ***ti.*** Se rieron **contigo.**

10. Dicen que primero van a pasar por ***Ud.*** y después por ***mí.***

11. Echábamos de menos a ***mi tía.*** Siempre pensábamos en ***ella.***

12. Cuando ***mi sobrino iba*** a mi casa, yo jugaba con ***él*** toda la tarde.

EJERCICIO II A

Cambie los posesivos a de **+ pronombre.**

Ejemplo: **a.** ¿Es de Jaime este paraguas?
b. No, no es ***suyo.*** Es mío.

a. ¿Es de Jaime este paraguas?
b. No, no es de él. Es mío.

1. **a.** ¿Es de tu tía ese regalo?
   b. No, no es ***suyo.*** Es tuyo.
2. **a.** ¿Son ***suyos*** aquellos libros de latín?
   b. No, no son míos. Son del maestro.
3. **a.** ¿Es de Don Cristóbal esa peluquería?
   b. No, no es ***suya.*** Es de Don José.
4. **a.** ¿Son de tus primas esos vestidos?
   b. No, no son ***suyos.*** Son de mis hermanas.
5. **a.** ¿Son ***suyas*** aquellas sillas de fierro?
   b. No, no son ***nuestras.*** Son de los vecinos.
6. **a.** ¿Era de tus suegros la mueblería de la esquina?
   b. No, no era ***suya.*** Era de mis padres.

EJERCICIO III A

Ejemplo: ¿A quién espera aquel señor?
Lo espera a Ud. **o:** La espera a Ud.

(a mí)

¿A quién espera aquel señor?
Me espera a mí.

1. a ti	4. a Ud.	7. a ellos
2. a ella	5. a nosotros	8. a Uds.
3. a él	6. a ellas	9. a mí

EJERCICIO IV A

Cambie las oraciones según los ejemplos.

a: El director me quiere ver en su oficina.
(a ti y a mí)

El director nos quiere ver a ti y a mí en su oficina.

b: ¡Claro que vamos a invitar a Elena a nuestra boda!
(a ella y a su mamá)

¡Claro que las vamos a invitar a ella y a su mamá a nuestra boda!

1. Eché de menos a Mario en la fiesta del sábado.
(a Ud. y a Mario)
2. Mi mamá llevaba a mis hermanos al colegio todos los días.
(a mis hermanos y a mí)
3. ¿Conoces bien a Marta?
(a ella y a su cuñada)
4. El gerente necesita a su secretaria ahorita.
(a su secretaria y a mí)
5. Mis abuelitos recuerdan a Fernando muy bien.
(a Uds. y a Fernando)
6. ¿Quieren Uds. mucho a Blanca?
(a ella y a sus primas)

EJERCICIO V A

Conteste las preguntas según los ejemplos.

a: ¿Les pagaste su sueldo al jardinero y a la lavandera?

A él sí se lo pagué pero a ella no.

b: ¿Les gustan las corridas de toros a Ud. y a sus primas?

A mí sí me gustan pero a ellas no.

c: ¿Se les olvidaba traer la tarea a Uds. y a sus compañeros?

A nosotros sí se nos olvidaba pero a ellos no.

1. ¿Les presta sus discos a ti y a tus amigos Doña Carmen?
2. ¿Les faltó dinero para la inscripción a Uds. y a Roberto?
3. ¿Se les fue la luz a Uds. y a sus vecinos anoche?
4. ¿Les escribías muchas cartas a tus padres y a tus tías?
5. ¿Les convenía el horario a ti y a Gloria?
6. ¿Se les pierden las llaves del automóvil a Don Miguel y a su esposa?

PATRONES DEL IDIOMA B

1. Mis maletas estaban en el coche. Las tuyas estaban en tu cuarto. — *My suitcases were in the car. Yours were in your room.*
2. La libreta de Ud. costó tres pesos, la de Chela dos cincuenta y la de Pepe cuatro pesos. — *Your notebook cost three pesos, Chela's two fifty, and Pepe's four pesos.*
3. Nuestro departamento está en la planta baja y el de los Barrón está en el tercer piso. — *Our apartment is on the ground floor and the Barróns' is on the third floor.*
4. Puse el suéter amarillo en la cómoda y mandé el café a la tintorería. — *I put the yellow sweater in the chest of drawers and I sent the brown one to the cleaner's.*
5. ¿Qué películas prefieres, las de misterio o las musicales? — *What kind of pictures do you like better, thrillers or musicals?*

   Prefiero las musicales. — *I like musicals better.*
6. ¿Cuál traje de baño compraste, el de rayas o el floreado? — *Which bathing suit did you buy, the one with the stripes or the one with the flower pattern?*

   Compré el de rayas. — *I bought the one with the stripes.*

EJERCICIO I B

Ejemplo: Mis maletas estaban en el coche. Las tuyas estaban en tu cuarto.
(suéter) (libreta) (anteojos)

Mi suéter estaba en el coche. El tuyo estaba en tu cuarto.
Mi libreta estaba en el coche. La tuya estaba en tu cuarto.
Mis anteojos estaban en el coche. Los tuyos estaban en tu cuarto.

1. La blusa de Chela costó sesenta pesos. ¿Cuánto costó la de Ud.?
   (guantes) (medias) (traje de baño)
2. El despacho del Sr. Barrón está en la planta baja. El de nosotros está en el segundo piso.
   (oficinas) (locales) (agencia de viajes)
3. Tú sí trajiste tus cuadernos pero Pepe no trajo los suyos.
   (composición) (tareas) (libro)
4. Yo compré mi guitarra hace un año. Mis primos acaban de comprar la de ellos.
   (piano) (muebles) (acciones)
5. Esa camisa de lana no es mía. La mía está en la tintorería.
   (pantalones cafés) (saco azul) (corbata de seda)
6. Ayer Uds. se llevaron mi encendedor y dejaron el suyo aquí.
   (pluma) (llaves) (lápices)

EJERCICIO II B

Ejemplo: Puse el suéter amarillo en la cómoda y mandé el café a la tintorería.
(falda) (suéteres) (corbatas)

Puse la falda amarilla en la cómoda y mandé la café a la tintorería.
Puse los suéteres amarillos en la cómoda y mandé los cafés a la tintorería.
Puse las corbatas amarillas en la cómoda y mandé las cafés a la tintorería.

1. Las películas musicales sí nos gustaron pero las de misterio no.
(programas) (película) (programa)
2. Margarita quiere el traje de baño floreado y Rosario quiere el de rayas.
(blusa) (vestidos) (faldas)
3. El curso de física empieza el lunes y el de química empieza el martes.
(conferencias) (clase) (exámenes)
4. La literatura francesa contemporánea es muy interesante y la italiana también.
(arte) (novelas) (cuentos)
5. Chela lavó el vestido de algodón y mandó a la tintorería el de seda.
(ropa) (vestidos) (blusas)
6. Los timbres de la Argentina son muy bonitos. Los de España son bonitos también.
(revistas) (folleto de informes) (capital)

EJERCICIO III B

Conteste las preguntas.

1. ¿Qué películas prefiere Ud., las de vaqueros o las de misterio?
2. ¿Cuál traje de baño piensas comprar, el rojo o el verde?
3. ¿Cuál departamento rentaron tus amigos, el de la planta baja o el del segundo piso?
4. ¿Cuál carta contestó la secretaria, la del Sr. López o la del Sr. Mateos?
5. ¿Cuál camioneta vamos a llevar al día de campo, la tuya o la mía?
6. ¿Cuál sombrero quería ponerse Pepe, el negro o el gris?
7. ¿Qué programas de televisión prefieren Uds., los deportivos o los de teatro?
8. ¿Cuál lección te falta estudiar, la novena o la décima?
9. ¿A cuáles bailes iba Ud., a los del Club Americano o a los del Club Inglés?
10. ¿Cuál ceremonia va a ser el día quince, la civil o la religiosa?
11. ¿Cuáles aretes se puso Doña Lidia, los de plata o los de oro?
12. ¿Qué canciones prefieres, las españolas o las mexicanas?

LECCIÓN XV

(15ª Lección)

PATRONES DEL IDIOMA A

1. El Sr. Galindo dijo que necesitaba un escritorio nuevo. — *Mr. Galindo said he needed a new desk.*
2. No nos dimos cuenta (de) que ya no había cervezas en el refrigerador. — *We didn't realize the beer in the refrigerator was all gone.*
3. El policía creyó que yo no hablaba español. — *The policeman didn't think I spoke Spanish.*
4. Los pintores me aseguraron que iban a terminar el trabajo pasado mañana. — *The painters promised me they would finish the job day after tomorrow.*
5. Elisa nos contó que acababa de comprar una vajilla muy fina. — *Elisa told us she had just bought a very fine set of dinnerware.*
6. ¿Se te olvidó que había que pagar la renta hoy? — *Did you forget the rent was due today?*
7. Laura y Yolanda dijeron que hacía varios años que conocían a Francisco. — *Laura and Yolanda said they'd known Francisco for several years.*
8. La policía averiguó que el ladrón no vivía en esa casa desde hacía mucho tiempo. — *The police found out that the thief hadn't lived in that house for a long time.*
9. No me fijé si la luz estaba apagada o encendida. — *I didn't notice whether the light was on or off.*
10. Le preguntamos a Juan José si quería almorzar con nosotros. — *We asked Juan José if he wanted to have lunch with us.*

EJERCICIO I A

Cambie las oraciones según los ejemplos.

Ejemplo a: El Sr. Galindo dice que necesita un escritorio nuevo.
El Sr. Galindo dijo que necesitaba un escritorio nuevo.

1. Las visitas no se dan cuenta (de) que ya es muy tarde.
2. Creo que Ángel no tiene dinero para pagar la cuenta.
3. El policía nos asegura que las tiendas abren a las nueve.
4. Elisa les cuenta a sus compañeras que su tía tiene una vajilla muy fina.
5. ¿No te parece que el collar está muy caro?
6. Los huéspedes se quejan de que no hay agua en el baño.

Ejemplo b: Los pintores me aseguran que van a terminar el trabajo pasado mañana.
Los pintores me aseguraron que iban a terminar el trabajo pasado mañana.

1. La policía no se da cuenta (de) que los ladrones acaban de cruzar la frontera.
2. Yo creo que esas cajas no van a caber en el cochecito de Jaime.
3. ¿Recuerdas que tienes que averiguar la hora de llegada y de salida del avión?
4. Don Pepe dice que quiere tomarse una cerveza con nosotros.
5. Sabemos que el gobierno va a construir varias carreteras este año.
6. El Sr. Suki nos cuenta que piensa repetir este curso.

Ejemplo c: Laura y Yolanda dicen que hace varios años que conocen a Francisco.
Laura y Yolanda dijeron que hacía varios años que conocían a Francisco.

1. La policía nos asegura que tiene nuestro automóvil desde hace veinticuatro horas.
2. Doña María me cuenta que hace seis meses que no llueve en su pueblo.
3. Me doy cuenta (de) que no estudias desde hace mucho tiempo.
4. Creo que el Gral. Gutiérrez vive en Londres desde hace un año.
5. Arturo dice que no ve a Chela desde hace una semana.
6. Los empleados se quejan de que hace un mes que no reciben su sueldo.

EJERCICIO II A Cambie las oraciones según el ejemplo.

Ejemplo: El policía creyó que yo no hablaba español.
El policía creía que yo no hablaba español.

1. No nos dimos cuenta (de) que no había cervezas en el refrigerador.
2. ¿Le contaste a tu madrina que tenías muchos problemas con tu suegra?
3. El jardinero nos dijo que quería sus vacaciones el mes que entra.
4. No recordé que Isabel cumplía años el día veintiuno.
5. Le explicamos al cliente que el subgerente tenía que aprobar el presupuesto.
6. Supimos que el director empezaba a trabajar a las ocho de la mañana.
7. Se nos olvidó que había que inscribirse antes del día último.
8. El dueño pensó que no le íbamos a pagar la renta este mes.
9. Mi padrino se quejó de que no podía conseguir refacciones para su camioneta.
10. Le aseguré al jefe de la policía que hacía diez años que tú eras mi socio.
11. Leímos en el periódico que el presidente estaba enfermo desde hacía un mes.
12. Le expliqué al doctor que no tenía yo hambre desde hacía dos días.

EJERCICIO III A

Ejemplo: La luz de la sala está encendida.

No me fije si ________________ o apagada.

No me fijé si la luz de la sala estaba encendida o apagada.

1. Faltan refrescos.
   Yolanda no nos dijo si ________________ o no.
2. Mi hermanita tiene fiebre.
   La profesora me preguntó si ________________.
3. El pasaporte está en el cajón del escritorio.
   No recordé si ________________ o en mi cartera.
4. El Sr. Juárez me manda el cheque hoy.
   El Sr. Juárez no me contestó si ________________ o no.
5. Los vecinos piensan ir de día de campo el domingo.
   Los vecinos no nos contaron si ________________ o no.
6. Sé la dirección del abogado.
   Sergio me preguntó si ________________ .

PATRONES DEL IDIOMA B

1. Los niños estaban en el parque cuando empezó a llover. (Cuando empezó a llover, los niños estaban en el parque.) — *The children were in the park when it started to rain.*
2. Mientras Ofelia y Teresa preparaban la cena, nosotros pusimos la mesa. (Nosotros pusimos la mesa mientras Ofelia y Teresa preparaban la cena.) — *While Ofelia and Teresa were cooking supper, we set the table.*
3. Como ya era muy tarde, tomamos un taxi. — *Since it was very late, we took a taxi.*
4. El anillo costaba cinco mil pesos. Por eso no lo compré. — *The price of the ring was five thousand pesos. That's why I didn't buy it.*
5. Barrí con la escoba porque la aspiradora estaba descompuesta. — *I used the broom because the vacuum cleaner was out of order.*

EJERCICIO I B

Ejemplo a: Los niños estaban en el parque cuando empezó a llover. (Cuando empezó a llover, los niños estaban en el parque.)

(nosotros - ir - por la calle de Bolívar)

Nosotros íbamos por la calle de Bolívar cuando empezó a llover. (Cuando empezó a llover, nosotros íbamos por la calle de Bolívar.)

1. mis sobrinitos - volver - del circo
2. yo - buscar - un taxi
3. Elisa - venir - del centro
4. ser - las tres de la tarde
5. nosotros - estar - en el jardín
6. faltar - un cuarto para las siete

Ejemplo b: Mientras Ofelia y Teresa preparaban la cena, nosotros pusimos la mesa. (Nosotros pusimos la mesa mientras Ofelia y Teresa preparaban la cena.)

(yo - lavar - los platos)

Mientras Ofelia y Teresa preparaban la cena, yo lavé los platos. (Yo lavé los platos mientras Ofelia y Teresa preparaban la cena.)

1. Yolanda - llegar - a la casa
2. Jorge y yo - ver - la televisión
3. Don José nos - servir - una copa
4. nosotros - oir - las noticias por radio
5. Chela - ir - por el pan
6. Miguel y yo - tomarse - una cerveza

EJERCICIO II B

Ejemplo: Como ya era muy tarde, tomamos un taxi.
Ya era muy tarde. Por eso tomamos un taxi.
Tomamos un taxi porque ya era muy tarde.

(el anillo - costar - cinco mil pesos. . . (yo) no lo - comprar)

Como el anillo costaba cinco mil pesos, no lo compré.
El anillo costaba cinco mil pesos. Por eso no lo compré.
No compré el anillo porque costaba cinco mil pesos.

1. la aspiradora - estar - descompuesta . . . Elisa - barrer - con la escoba
2. los muchachos - tener - mucha hambre . . . comerse - todo el pastel
3. me - doler - un poco el estómago . . . no - dormir - bien anoche
4. nosotros - estar - muy cansados . . . no - ir - al teatro antenoche
5. ya - faltar - cinco minutos para las diez . . . Alfonso - tomar - un taxi
6. Ernesto no - tener - veintiún años . . . (ellos) no le - permitir - entrar al cine

PATRONES DEL IDIOMA C

1. ¿Qué edad tenía Manuel cuando se recibió? — *How old was Manuel when he got his degree?*

   Tenía veinticinco años cuando se recibió. — *He was twenty-five when he graduated.*

2. ¿Qué horas eran cuando salieron de clase? — *What time was it when you got out of class?*

   Era la una y media cuando salimos. — *It was one thirty when we left.*

3. ¿Qué hizo Ud. mientras su esposa se arreglaba para ir al baile? — *What did you do while your wife was getting ready to go to the dance?*

   Mientras ella se arreglaba, vi dos películas en la televisión. — *While she was getting ready, I saw two movies on T.V.*

4. ¿Por qué no fue la Sra. Miranda a la reunión de ayer? — *Why didn't Mrs. Miranda go to the get-together yesterday?*

   No fue porque tenía mucho quehacer. — *She didn't go because she was too busy at home.*

5. ¿No te fijaste si había cola en el cine Alameda? — *Didn't you notice if there was a long line in front of the Alameda theater?*

   No, no me fijé si había. — *No, I didn't notice.*

   Sí, me fijé que había mucha cola. — *Yes, there was a long line.*

6. Tus amigas te aseguraron que iban a venir, ¿no? — *Your girlfriends promised you they would come, didn't they?*

   Sí, me aseguraron que iban a venir. — *Yes, they promised me they would come.*

   No, no me aseguraron si iban a venir o no. — *No, they didn't say for sure whether they would come or not.*

EJERCICIO C

Conteste las preguntas

1. ¿Qué hiciste mientras tus hermanas se arreglaban para ir a la ópera?
2. ¿No se fijó Ud. si la luz del despacho estaba encendida o apagada?
3. ¿Qué edad tenía tu abuelito cuando fue a Europa?
4. ¿Creían Uds. que la Srita. Vega no hablaba inglés?
5. ¿Quién te aseguró que no iba a haber reunión esta semana?
6. ¿Le explicaste al policía que hacía mucho tiempo que no veías al Sr. Torres?
7. ¿Por qué no le gustó a Ud. el anillo?

8. Yolanda te dijo que ella sola hacía todos los quehaceres en su casa, ¿no?
9. ¿Cuándo se dieron Uds. cuenta de que la aspiradora estaba descompuesta?
10. ¿Te contaron Margarita y Manuel que querían comprar una vajilla para doce personas?
11. ¿Qué horas eran cuando llegaste a tu casa anoche?
12. A Uds. se les olvidó que todos los domingos había cola en los cines, ¿verdad?
13. ¿Le recordó Ud. a la señora que había que pedir el gas hoy?
14. ¿Supieron Uds. que María Luisa y Guillermo eran novios desde hacía dos años?

LECCIÓN XVI

(16ª Lección)

PATRONES DEL IDIOMA A

1. Como ellos ya ***entendían*** español muy bien, ***entendieron*** la obra perfectamente.
   Since they could already understand Spanish very well (at that time), they understood the play perfectly.
2. ***Conocimos*** muchos lugares interesantes porque el guía ***conocía*** todo el país muy bien.
   We visited many interesting places because the guide knew the whole country very well.
3. Alicia ya ***sabía*** que sus amigas estaban en la ciudad, pero no ***supo*** su dirección hasta ayer.
   Alicia already knew that her friends were in town, but she didn't find out their address until yesterday.
4. Cuando el Sr. Martínez ***era*** joven, ***fue*** campeón nacional de tenis durante tres años.
   When Mr. Martínez was young, he was the national tennis champion for three years.
5. Los ingenieros ***tuvieron*** que trabajar toda la noche porque ***tenían*** que entregar el presupuesto al día siguiente.
   The engineers had to work all night because they had to hand in the estimate the next day.
6. Cuando tú llamaste, yo ***estaba*** con el Sr. Ortega en su despacho. ***Estuve*** con él hasta las dos.
   When you called, I was with Mr. Ortega in his office. I stayed with him until two.

EJERCICIO A

Llene los espacios con la forma correcta del verbo en pretérito o copretérito.

1. Cuando Uds. ____________ (conocer) a la Srita. Ortiz, nosotros ya la ____________ (conocer).
2. Yolanda y Manuel siempre ____________ (ir) a las reuniones del club, pero ese día no ____________.
3. Elisa ____________ (sentirse) un poco mal. Tomó esta medicina y ____________ (sentirse) muy bien al día siguiente.
4. Pepe ____________ (tener) su primer reloj cuando ____________ (tener) ocho años de edad.
5. ____________ (hacer) mucho tiempo que no ____________ (nosotros-hacer) fiestas. Por eso el sábado pasado ____________ (nosotros-hacer) una.

6. Como el guía no ___entendía___ alemán, no ___entendió___ nuestra conversación.
(entender) (entender)

7. Elsie siempre ___llegaba___ tarde a clase, pero el día del examen ___llegó___ a tiempo.
(llegar) (llegar)

8. A mí no me ___gustaban___ los cuentos de misterio, pero aquel cuento sí me ___gustó___.
(gustar) (gustar)

9. La cocinera no ___se tardaba___ mucho en el mercado, pero el día de Año Nuevo ___se tardó___ horas.
(tardarse) (tardarse)

10. Cuando tú ___sapiste___ la verdad, la policía ya la ___sabía___.
(saber) (saber)

11. Cantinflas me ___ca___ muy bien, pero en esa película me ______ muy mal.
(caer) (caer)

12. Ricardo ___~~iba~~ fue___ campeón nacional de ajedrez durante cuatro años cuando ___era___ estudiante.
(ser) (ser)

PATRONES DEL IDIOMA B

1. Como no ***encontrábamos*** la calle, llegamos tarde a la reunión. — *Since we couldn't find the street, we got to the meeting late.*

   Como no ***encontramos*** la calle, no fuimos a la reunión. — *Since we didn't find the street, we didn't go to the meeting.*

2. Marie contestó una pregunta y yo ***seguía*** después de ella, pero en ese momento sonó el timbre y se acabó la clase. — *Marie answered a question and I was supposed to answer one after her, but the bell rang then and the class was over.*

   Marie contestó una pregunta y yo ***seguí*** después de ella. Contesté la pregunta correctamente. — *Marie answered a question and I answered one after her. I answered the question correctly.*

3. Mi cuñado no ***necesitaba*** la máquina de escribir ayer en la tarde. Por eso me la prestó. — *My brother-in-law didn't need the typewriter yesterday afternoon. That's why he lent it to me.*

   Mi cuñado no ***necesitó*** la máquina de escribir ayer en la tarde porque escribió las cartas a mano. — *My brother-in-law didn't need the typewriter yesterday afternoon because he wrote out the letters in longhand.*

4. Cuando vi a ese joven, ***creí*** que era tu hermano.

When I saw that young man, I thought he was your brother.

Iba a saludar a ese joven porque ***creía*** que era tu hermano.

I was going to say hello to that young man because I thought he was your brother.

5. ***Sobraron*** dos invitaciones para el banquete. Están en aquella mesa.

Two invitations for the banquet were left over. They're on that table.

Sobraban dos invitaciones para el banquete. Le mandé una al Ing. Pérez y la otra al Gral. Rivera.

Two invitations for the banquet were left over. I sent one to Mr. Pérez and the other one to Gen. Rivera.

6. Anoche nos ***faltó*** resolver un ejercicio. Lo hicimos hoy antes de la clase.

Last night, we didn't do one exercise. We did it today just before class.

Anoche nos ***faltaba*** resolver un ejercicio cuando tú llegaste.

Last night, we still had one exercise to do when you came.

EJERCICIO B

Llene los espacios con la forma correcta del verbo en pretérito o copretérito.

1. costar — La canasta ____costaba____ veinte pesos. Por eso no la compré.
   Compré la canasta ayer. Me ____costé____ diez pesos.
2. hacer — ____Hizo____ mucho frío ayer en la mañana hasta que salió el sol.
   ____Hacía____ mucho frío ayer en la mañana cuando me levanté.
3. convenir — El contrato nos ____convenía____. Íbamos a recibir mil dólares cada mes.
   El contrato nos ____convino____. Ese año recibimos doce mil dólares.
4. querer — Desde hacía tiempo, Chela ____quería____ comprar ese anillo.
   Chela vio ese anillo e inmediatamente ________ comprarlo.
5. estar — ____Estuvé____ en la biblioteca hasta que sonó el timbre.
   ____Estaba____ en la puerta de la casa cuando sonó el teléfono.
6. doler — Me ____dolió____ un poco la cabeza toda la tarde ayer.
   Me ____dolía____ un poco la cabeza cuando salimos del cine.
7. interesar — La conferencia del Sr. Arreola nos ____interesaba____ mucho, pero no podíamos ir porque teníamos mucho quehacer.
   La conferencia del Sr. Arreola nos ____ó____ mucho. Habló de la literatura contemporánea.
8. ser — Mi mamá ____f____ enfermera cuando la conoció mi papá.
   Mi mamá ________ enfermera durante tres años.

9. poder — Como el chofer__________ arreglar el coche, dimos una vuelta por la ciudad.

El chofer todavía no __________ arreglar el coche porque no tenía las refacciones.

10. tener — Como se me perdió la cartera la semana pasada, no __________ un centavo hasta que me pagaron mi sueldo ayer.

Le pedí trescientos pesos a Don Juan antier, pero no me los prestó porque en ese momento no los __________ .

11. olvidar — Se me __________ que tenía que hacer la tarea, pero lo recordé a tiempo y no fui al teatro para poder hacerla.

Se me __________ que tenía que hacer la tarea y me fui al teatro. Por eso no la hice.

12. pensar — Cuando supe la noticia, inmediatamente __________ mandarte un telegrama.

__________ mandarte un telegrama cuando llamaste por teléfono y te di la noticia.

LECTURA III

Ya eran las siete y media cuando me desperté ayer en la mañana. Me levanté inmediatamente. Me tuve que bañar con agua fría porque no había agua caliente. Quería ponerme el traje gris de rayas, pero como no lo encontré, me puse el café. Mi esposa me dijo que el gris de rayas estaba en la tintorería y que lo iban a entregar en la tarde. Después de vestirme, me fui al comedor. El desayuno ya estaba en la mesa. Mientras me desayunaba, oí las noticias por radio.

Salí de casa a las nueve. Cuando llegué a la oficina, la correspondencia ya estaba en mi escritorio. Había cartas de varias de nuestras sucursales y de muchos de nuestros clientes. Las leí y le di instrucciones a la secretaria para contestarlas. A las diez fui al salón del consejo porque tenía una junta con los vendedores de la compañía. Hablamos de los problemas para distribuir nuestros productos en los mercados de otros países.

Cuando volví a mi oficina, la secretaria me dijo que varias personas querían verme. Las recibí y después empecé a preparar el presupuesto del año que entra. Mientras leía el balance del año pasado, sonó el teléfono. Era el gerente. Me dijo que él tenía que ir a la capital para arreglar un negocio con el gobierno y que yo tenía que quedarme en su lugar. A las doce, la secretaria me entregó unas cartas y yo las firmé porque había que llevarlas al correo antes de la doce y media.

A la una, hablé por teléfono con mi esposa para decirle que no podía ir a la casa a comer porque tenía mucho trabajo. Fui al restaurante París. Cuando llegué no había mesa, pero me encontré allí a unos amigos y me senté con ellos.

Hacía mucho tiempo que no los veía. Mientras comíamos, hablamos de nuestros días de escuela y recordamos a nuestros compañeros y maestros. Uno de mis amigos me contó que era dueño de una agencia de viajes y que le producía muy buenas ganancias. Me preguntó si yo quería invertir en el negocio porque pensaba abrir oficinas en otras ciudades de la república y necesitaba un socio. Yo le contesté que iba a pensarlo. Cuando nos dimos cuenta, ya eran las tres de la tarde. Pedimos la cuenta y la pagamos. Me despedí de ellos y volví a la oficina.

EJERCICIO

Llene los espacios con la forma correcta del verbo en pretérito o copretérito.

________ (yo-trabajar) hasta las siete. A esa hora, mi esposa ________ (llamar) por teléfono para recordarme que Jaime y Amparo ________ (ir) a pasar por nosotros a las ocho y media para ir al teatro.

Cuando ________ (yo-llegar) a la casa, los niños todavía no ________ (acostarse). ________ (yo-jugar) con ellos un rato, ________ (nosotros-cenar) y, como ya ________ (ser) muy tarde para ellos, los ________ (nosotros-acostar) y los ________ (nosotros-dormir). Cuando ________ (llegar) Jaime y Amparo, les ________ (nosotros-preguntar) si ________ (ellos-querer) una copa o un refresco y nos ________ (ellos-contestar) que ________ (ellos-preferir) una taza de café. Mi esposa ________ (servir) el café pero yo ________ (tomarse) un refresco porque ________ (tener) mucha sed. Al cuarto para las nueve, Jaime nos ________ (decir) que ________ (nosotros-tener) que irnos ya si no ________ (nosotros-querer) llegar tarde al teatro. Le ________ (nosotros-decir) que ________ (ser) muy temprano todavía porque la función no ________ (empezar) hasta las nueve y cuarto, pero él ________ (contestar) que a esas horas siempre ________ (haber) mucho tránsito en las calles del centro.

___aceptamos___ (nosotros-aceptar) que ___tenía___ (él-tener) razón, ___pusimos___ (nosotros-ponerse) los abrigos y ___salimos___ (nosotros-salir).

Cuando ___llegamos___ (nosotros-llegar) al teatro, la función ___acababa___ (acabar) de empezar. Las luces ya ___estaban___ (estar) apagadas cuando ___nos sentamos___ (nosotros-sentarse). Nuestros lugares ___estaban___ (estar) cerca del escenario y ___pudíamos___ (nosotros-poder) ver y oir a los actores perfectamente. La obra nos ___paració___ (parecer) un poco larga pero nos ___gusto___ (gustar) mucho porque los diálogos ___fueron___ (ser) muy interesantes. La función ___terminó___ (terminar) a las once. Nuestros amigos nos ___llevaron___ (llevar) a la casa, ___se despidieron___ (ellos-despedirse) de nosotros y ___se fueron___ (ellos-irse). Mi esposa no ___tenía___ (tener) sueño todavía y ___se quedo___ (quedarse) en la sala para ver la televisión, pero yo ya ___estaba___ (estar) muy cansado. ___Me acosté___ (yo-acostarse) y ___me dormí___ (dormirse) inmediatamente.

LECCIÓN XVII

(17º. Lección)

PATRONES DEL IDIOMA A

1. Paco y Daniel iban a salir de vacaciones en marzo pero (no salieron porque) tuvieron que trabajar todo el mes.

   Paco and Daniel were going to go on their vacation in March, but (they didn't go because) they had to work all month.

2. Íbamos a ir al partido de futbol el domingo pero (no fuimos porque) no conseguimos boletos.

   We were going to go to the football game on Sunday, but (we didn't go because) we couldn't get tickets.

3. Íbamos a comprar el regalo para Tere ayer a mediodía pero (no lo compramos porque) la joyería estaba cerrada.

   We were going to buy a present for Tere yesterday noon, but (we didn't buy it because) the jewelry shop was closed.

4. Iba a mandarte una tarjeta postal de Roma pero (no te la mandé porque) no tenía tu dirección.

   I was going to send you a post card from Rome, but (I didn't send you one because) I didn't have your address.

5. Amalia se iba a inscribir en el Instituto hace un mes pero (no se inscribió porque) todavía no cumple los dieciocho años.

   Amalia was going to register at the Institute a month ago, but (she didn't register because) she isn't eighteen years old yet.

6. Iba a preparar más limonada pero (no preparé más porque) ya no hay azúcar.

   I was going to make more lemonade, but (I didn't make anymore because) there isn't any more sugar.

EJERCICIO A

Ejemplo a: Paco y Daniel iban a salir de vacaciones en marzo pero tuvieron que trabajar todo el mes.

(yo - mandarte - una tarjeta postal de Roma ... se me - olvidar - tu dirección)

Iba a mandarte una tarjeta postal de Roma pero se me olvidó tu dirección.

1. nosotros - jugar - canasta ... Amalia no - querer
2. yo - romper - estos papeles ... recordar - que todavía los necesitaba
3. Tere y Carlos - comprar - esa vajilla ... no les - gustar
4. nosotros - ir - de día de campo antier ... se nos - descomponer - la camioneta
5. el contador - recorrer - las sucursales ... tener - que terminar el balance
6. yo - contestar - la siguiente pregunta ... en ese momento - sonar - el timbre

Ejemplo b: Íbamos a comprar el regalo para Tere ayer a mediodía pero la joyería estaba cerrada.

(la Srita. Aguilar - salir - de vacaciones en abril ... tener - mucho trabajo)

La Srita. Aguilar iba a salir de vacaciones en abril pero tenía mucho trabajo.

1. Yolanda y Paco - rentar - aquel departamento ... ser - muy chico para ellos
2. yo - quedarse - en la biblioteca ... ya - ser - muy tarde
3. nosotros - mandarles - una tarjeta de Navidad ... no-tener - su dirección
4. Arturo - traer - su automóvil ... estar - descompuesto
5. yo - barrer - el patio ... la escoba - estar - rota
6. Daniel y yo - entrar - al cine ... haber - una cola muy larga

Ejemplo c: Amalia se iba a inscribir en el Instituto hace un mes pero todavía no cumple los dieciocho años.

(yo - preparar - más limonada ... ya no - haber - azúcar)

Iba a preparar más limonada pero ya no hay azúcar.

1. yo - ponerse - el suéter nuevo ... hacer - mucho calor
2. Isabel y Enrique - saludar - al director ... no - estar - aquí
3. nosotros - invitar - a Laura a la reunión ... le - caer - mal a mi hermana
4. el gato - salir ... haber - muchos perros en la calle
5. yo - escribir - las invitaciones a mano ... la Sra. Mateos - decir - que no
6. nosotros - comprarte - un anillo muy fino ... costar - muy caro

PATRONES DEL IDIOMA B

1. Elisa y Rosario iban a ir a la excursión con nosotros mañana, pero (no van a ir porque) sus padres no les dieron permiso.

   Elisa and Rosario were going to go on the excursion with us tomorrow, but (they're not going because) their parents didn't give them permission.

2. Íbamos a pasar la Navidad en casa pero (no vamos a pasarla aquí porque) decidimos pasarla con mis abuelitos.

   We were going to spend Christmas at home, but (we're not going to spend it here because) we decided to be with our grandparents..

3. Iba a leer esa novela la semana que entra pero (no voy a leerla porque) tengo que estudiar mucho.

   I was going to read that novel next week, but (I'm not going to read it because) I have to study a lot.

4. Don Emilio iba a firmar el contrato mañana en la mañana pero (no lo va a firmar porque) necesita unos días más para estudiarlo bien.

   Don Emilio was going to sign the contract tomorrow morning but (he isn't going to sign it because) he needs a few more days to look it over.

5. Íbamos a pintar el pasillo pasado mañana pero (no vamos a pintarlo porque) vamos a pintar la escalera primero.

   We were going to paint the hallway day after tomorrow, but (we're not going to paint it because) we're going to paint the stairway first.

6. Iba a jugar beisbol el sábado pero (no voy a jugar porque) voy a tener un examen.

   I was going to play baseball next Saturday but (I'm not going to play because) I'm going to have an exam.

EJERCICIO B

Ejemplo a: Elisa y Rosario iban a ir a la excursión con nosotros mañana pero sus padres no les dieron permiso.

(nosotros - pasar - la Navidad en casa ... decidir - pasarla con mis abuelitos)

Íbamos a pasar la Navidad en casa pero decidimos pasarla con mis abuelitos.

1. nosotros - ir - al Teatro Colón mañana... Paco ya - ver - la obra
2. Tere - quedarse - aquí hasta junio... recibir - un telegrama de su familia
3. (ellos) - exhibir - una película de Chaplin hoy... cambiar - el programa
4. Don Daniel - firmar - el contrato mañana... decidir - esperar un día más
5. yo - escoger - las tarjetas postales hoy... Anita las - comprar - ayer
6. nosotros - faltar - a clase el viernes... la maestra no nos - dar - permiso

Ejemplo b: Iba a leer esa novela la semana que entra pero tengo que estudiar mucho.

(Don Emilio - firmar - los papeles mañana ... decir - que necesita pensarlo)

Don Emilio iba a firmar los papeles mañana pero dice que necesita pensarlo.

1. el Sr. Moreno - pagar - la multa hoy en la tarde ... no - tener - dinero
2. nosotros - oir - discos esta noche ... el tocadiscos - estar - descompuesto
3. mis primas - ir - a la excursión pasado mañana ... tener - mucho quehacer
4. yo - llevar - el paraguas ... no lo - encontrar
5. Amalia - hacer - un pastel para la cena ... no - haber - azúcar
6. nosotros - ver - esa película ... a Luis no le - gustar - las películas musicales

Ejemplo c: Íbamos a pintar el pasillo pasado mañana pero vamos a pintar la escalera primero.

(yo - jugar beisbol el sábado ... tener - un examen)

Iba a jugar beisbol el sábado pero voy a tener un examen.

1. los novios - volver - el día primero ... quedarse - en Roma otra semana más
2. mi tío - pintar - el tocador mañana ... arreglar - los cajones primero
3. yo - comprar - un radio alemán ... comprar - uno japonés. Son muy baratos.
4. Ernesto - ir - al partido de futbol ... ir - a una excursión
5. nosotros - usar - el diccionario grande ... el Sr. Carter lo - necesitar
6. mis nietos - estar - aquí hasta el jueves ... salir - el miércoles

PATRONES DEL IDIOMA C

1. ¿Vendieron su casa los Esquivel?	*Did the Esquivels sell their house?*
La iban a vender pero se arrepintieron.	*They were going to sell it, but they thought they'd better not.*
2. ¿Saludaron a Héctor?	*Did you say hello to Héctor?*
Íbamos a saludarlo pero estaba muy ocupado.	*We were going to say hello to him, but he was very busy.*
3. ¿Le puso Ud. gasolina al coche?	*Did you get any gas for the car?*
Le iba a poner pero no le falta.	*I was going to, but it didn't need any.*
4. ¿Vas a prestarle el dinero a tu suegro?	*Are you going to lend your father-in-law the money?*
Iba a prestárselo pero me arrepentí.	*I was going to lend it to him, but I changed my mind.*
5. ¿Qué curso vas a tomar?	*What course are you going to take?*
Iba a tomar el tercero pero tengo que repetir el segundo.	*I was going to take course three, but I have to repeat course two.*
6. ¿Cuánto tiempo van a quedarse aquí?	*How long are you going to stay here?*
Íbamos a quedarnos sólo una semana pero vamos a quedarnos dos meses.	*We were going to stay for just a week, but we decided to stay two months.*

EJERCICIO C

Conteste las preguntas según los ejemplos.

a: ¿Pusiste las cartas en el buzón?

Iba a ponerlas pero se me olvidaron en el otro saco.

o:Iba a ponerlas pero ya no cabían.
o:Iba a ponerlas pero no tienen timbres.

b: ¿Van a ir a Europa el año que entra?

Íbamos a ir pero decidimos comprar una casa.
o:Íbamos a ir pero no tenemos dinero.
o:Íbamos a ir pero vamos a visitar a mi familia en los Estados Unidos.

1. ¿Pediste el gas?
2. ¿Van a venir Uds. a la biblioteca hoy en la tarde?
3. ¿Visitó Ud. el museo de historia?
4. Tu cuñado va a devolverte el coche mañana, ¿verdad?
5. ¿Fueron al baile tus primas?
6. ¿Vas a comprar el regalo en la joyería de la esquina?

7. ¿Cuántos días pasaron Uds. en Nueva York?
8. ¿Va Ud. a quedarse aquí mucho tiempo?
9. ¿Aprobó el presupuesto el Sr. Esquivel?
10. ¿Va a haber examen el viernes?
11. ¿Le mandaste tarjeta de Navidad a Héctor?
12. ¿Fueron Uds. a la excursión del domingo?

LECCIÓN XVIII

(18º Lección)

PATRONES DEL IDIOMA A

1. Sr. Sánchez, le hablé al abogado y dijo que lo esperaba a Ud. a las cuatro.	*Mr. Sánchez, I phoned the lawyer and he said that he would wait for you at four.*
2. ¿Te fijaste? Esa muchacha te sonrió.	*Did you notice that? That girl smiled at you.*
3. ¿Por qué le pegaste a tu hermanito?	*Why did you hit your brother?*
Yo no le pegué, mamá. Él se cayó.	*I didn't hit him, mom. He fell.*
4. Licha les dio de merendar a los niños y los acostó.	*Licha fed the children and put them to bed.*
5. Enrique les va a ayudar a Uds. a traducir el informe.	*Enrique is going to help you translate the report.*
6. ¿Cómo le hablan Uds. a su sirvienta, de tú o de Ud.?	*Do you use "tú" or "Ud." when you speak to your maid in Spanish?*
Nosotros le hablamos de tú porque la queremos mucho, pero ella siempre nos habla de Ud.	*We always use "tú" because we like her a lot, but she always uses "Ud." when she speaks to us.*
7. Antes le escribía a mi familia muy seguido, pero ahora ya no.	*I used to write to my family very often before, but not anymore.*
8. Cuando estaba en el primer curso no les entendía a mis amigos, pero ahora sí les entiendo.	*When I was in course one I couldn't understand my friends, but now I understand them.*
9. ¿Todavía le debe a Ud. el Sr. Azcárraga?	*Does Mr. Azcárraga still owe you (money)?*
No, ya no me debe. Me pagó el mes pasado.	*No, not anymore. He paid me last month.*

EJERCICIO I A

Cambie al plural, según el ejemplo.

Ejemplo: Nosotros siempre ***le*** ayudábamos a ***mi abuelito*** a subirse al coche.
Nosotros siempre les ayudábamos a mis abuelitos a subirse al coche.

1. Enrique ***me*** ayudó a pintar el pasillo.
2. Esa muchacha siempre ***le*** sonríe a ***Ud.***, ¿verdad?

   No es cierto. ¡***Le*** sonríe a ***Ud.***!
3. ¿A ***tí te*** pegaban cuando ***eras chico***?

4. Antes, Amalia ***le*** daba de comer ***al perro,*** pero ahora yo ***le*** doy.
5. ¿A ***quién le*** va Ud. a hablar por teléfono ahorita?
6. ¿Por qué ***le*** hablaste de tú ***al guía***? ¡***Lo*** acabas de conocer!
7. El ladrón ***le*** mintió ***al policía.*** Yo lo vi cerca de la joyería.
8. Licha siempre ***me*** sonreía pero ahora ya no. Creo que está enojada ***conmigo.***
9. ¿Quién ***te*** ayuda a lavar los platos?
10. Marie ***me*** habla en español porque ***yo*** no ***sé*** francés.
11. Doña Blanca nunca ***le*** pega a ***su hijo.***
12. Paco nunca ***le*** miente a ***su novia.***

EJERCICIO II A

Cambie al singular, según el ejemplo.

Ejemplo: No sé si creer***les*** a ***Uds.*** o no.
No sé si creerle a Ud. o no.
o: No sé si creerte o no.

1. Cuando ***mis amigas*** me ***escriben,*** yo ***les*** contesto inmediatamente.
2. Se ***nos*** olvidó la llave. ¿***Nos*** abres, por favor?
3. ***Esos jóvenes*** nunca se ***fijan*** cuando el maestro ***les*** explica.
4. ¿***Quieren*** hablar un poco más fuerte, por favor? No ***les*** oigo.
5. La policía no ***nos*** creyó.
6. El profesor casi nunca ***les*** preguntaba a ***esos estudiantes.***
7. ***Les*** entendí perfectamente a ***las visitas. Hablan*** inglés muy bien.
8. ***Mis sobrinitas*** nunca se ***peinaban*** si mi cuñada no ***les*** decía.
9. Antes, ***les*** pagábamos a ***las empleadas*** cada quince días.
10. Ud. ***les*** debe a ***esos comerciantes,*** ¿verdad?
11. ¿Quieres servir***nos*** ya, por favor? ***Tenemos*** que ir***nos*** a trabajar.
12. ¿***Nos*** entendió Ud.?

EJERCICIO III A

Conteste las preguntas.

1. ¿Quién le pegó a la niña?
2. ¿A qué horas le va Ud. a hablar a la Sra. Esquivel?
3. ¿A quién le sonríen aquellas muchachas?
4. ¿Ud. nunca les mentía a sus padres?
5. ¿Cómo le hablan Uds. a la lavandera, de Ud. o de tú?

6. ¿Ya les diste de comer al perro y al gato?
7. ¿Me ayuda Ud. a llevar estas sillas al otro salón, por favor?
8. Su familia le escribe a Ud. cada semana, ¿no?
9. ¿A quién le debías?
10. ¿A ti te pagan cada ocho días?
11. ¿Ya les contestaron a Uds. de la Universidad?
12. ¿Cuántas veces le preguntó a Ud. el profesor la clase pasada?

PATRONES DEL IDIOMA B

1. Yo me parezco mucho a mi hermano.	*I look a lot like my brother.*
Mi hermano y yo nos parecemos mucho.	*My brother and I look alike very much.*
2. Marta se va a casar con Antonio el mes que entra.	*Marta is going to marry Antonio next month.*
Marta y Antonio se van a casar el mes que entra.	*Marta and Antonio are going to get married next month.*
3. ¿Todavía le escribe Ud. a Rodolfo?	*Do you still write Rodolfo?*
¿Todavía se escriben Ud. y Rodolfo?	*Do you and Rodolfo still write to each other?*
4. ¿Por qué ya no le hablas a Lupe?	*Why don't you speak to Lupe anymore?*
¿Por qué ya no se hablan tú y Lupe?	*Why aren't you and Lupe on speaking terms?*
5. Francisco conoció a su esposa en Buenos Aires.	*Francisco met his wife in Buenos Aires.*
Francisco y su esposa se conocieron en Buenos Aires.	*Francisco and his wife met each other in Buenos Aires.*
6. ¿A qué hora puedo verlo a Ud. mañana?	*What time can I see you tomorrow?*
¿A qué hora podemos vernos mañana?	*What time can we meet tomorrow?*

EJERCICIO I B **Cambie las oraciones según el ejemplo.**

Ejemplo: ¿Es cierto que ya te casaste?
(... que tú y Emilio ...)
(... que Paco y Blanca ...)

¿Es cierto que tú y Emilio ya se casaron?
¿Es cierto que Paco y Blanca ya se casaron?

1. Yo me parezco mucho a mi hermano.
(mi hermano y yo ...)
(Ud. y su hermana ...)

2. ¿Dónde se encontró Ud. al Sr. Azcárraga?
(... Ud. y el Sr. Azcárraga)
(... Amalia y el Sr. Azcárraga)

3. De vez en cuando me enojo con mi cuñado.
(... mi cuñado y yo ...)
(... Daniel y Tere ...)

4. ¿A qué horas te despediste de Yolanda?
(... tú y Yolanda)
(... Yolanda y Ricardo)

5. Chela se casó con Héctor en septiembre.
(Chela y Héctor ...)
(mi esposo (esposa) y yo ...)

6. La Sra. Aguilar dijo que tú te parecías a mí.
(... que tú y yo ...)
(... que tú y Licha ...)

7. Doña Isabel ya no le habla a Doña Elisa.
(Doña Isabel y Doña Elisa ...)
(Doña Isabel y yo ...)

8. Ángel quiere mucho a Rosa María.
(Ángel y Rosa María ...)
(mi novia (novio) y yo ...)

9. Nosotros visitamos a mis suegros muy seguido.
(mis suegros y nosotros ...)
(mis suegros y mis padres ...)

10. ¿Ya conocía Ud. a la Srita. Ochoa?
(... Ud. y la Srita. Ochoa)
(... Jaime y la Srita. Ochoa)

11. No vi a Manuel en el club ayer.
(Manuel y yo ...)
(Manuel y Arturo ...)

12. La vecina me contó que Don Enrique le hablaba de tú a su secretaria.
(... que Don Enrique y su secretaria ...)
(... que tú y tu secretaria ...)

EJERCICIO II B

Conteste las preguntas.

1. ¿A quién se parece Ud., a su papá o a su mamá?
2. La Srita. Arreola y su prima se parecen mucho, ¿verdad?
3. ¿Con quién se casó Sergio?
4. ¿Cuándo se casan Ángela y Benito?

5. ¿Por qué ya no le hablas a Laura?
6. Ud. y el Sr. López Mateos se hablan de tú, ¿no?
7. ¿A qué horas van a ver Uds. al director?
8. ¿A qué horas nos vemos mañana?
9. ¿Dónde conociste a la Srita. Torres?
10. ¿Dónde se conocieron tú y Fernando?
11. ¿Es cierto que te encontraste al novio de Lidia en el baile?
12. ¿En qué calle se encontraron Ud. y Mario?

PRESENTACIONES

1. **a:** Sr. Bustamante, quiero presentarle al Sr. Cárdenas. — *Mr. Bustamante, I want you to meet Mr. Cárdenas.*

   b: Mucho gusto, Sr. Cárdenas. — *How do you do, Mr. Cárdenas.*

   c: El gusto es mío, Sr. Bustamante. — *How do you do, Mr. Bustamante.*

2. **a:** Bernardo, te presento a mi amigo César. — *Bernardo, this is my friend César.*

   b: Bernardo Fuentes, para servirle. — *Glad to meet you.*

   c: César Guzmán, a sus órdenes. — *Glad to meet you.*

3. **a:** Sra. Baena, permítame presentarle al Sr. Reyes. — *Mrs. Baena, I'd like you to meet Mr. Reyes.*

   b: Encantada, Sr. Reyes. — *How do you do, Mr. Reyes.*

   c: A los pies de Ud., señora. — *How do you do, madam.*

LECCIÓN XIX

(19ª. Lección)

PATRONES DEL IDIOMA A

1. Los conciertos nunca se terminaban antes de las diez.
(Los conciertos no se terminaban nunca antes de las diez.)
The concerts never used to be over before ten o'clock.

2. Como Tere no se subió al autobús, yo tampoco me subí.
(Como Tere no se subió al autobús, yo no me subí tampoco.)
Since Tere didn't get on the bus, I didn't get on either.

3. Ni Cristóbal ni Pedro solicitaron ese empleo.
(No solicitaron ese empleo ni Cristóbal ni Pedro.)
Neither Cristóbal nor Pedro applied for that job.

   Antes, el subgerente no nos saludaba ni a Amparo ni a mí.
   The assistant manager never used to say hello to Amparo or me.

4. ¡A ti nada te gusta!
(¡A ti no te gusta nada!)
You don't like anything, do you?

   Ayer no hicimos nada.
   We didn't do anything yesterday.

5. En mi familia, nadie usa anteojos.
(En mi familia, no usa anteojos nadie.)
Nobody wears glasses in my family.

   No había nadie en casa de José Luis.
   Nobody was home at José Luis's house.

6. Ninguno de nosotros tiene prisa.
(No tiene prisa ninguno de nosotros.)
None of us is in a hurry.

   No ví a ninguna de Uds. en el Club Femenino ayer.
   I didn't see any of you at the Club Femenino yesterday.

7. Yo nunca firmo nada sin leerlo primero.
I never sign anything without reading it first.

EJERCICIO I A

Cambie las oraciones según los ejemplos.

Ejemplo a: Los conciertos nunca se terminaban antes de las diez.
Los conciertos no se terminaban nunca antes de las diez.

1. Si el Sr. Cárdenas no invierte en el negocio, nosotros tampoco invertimos.
2. Ni Alfonso ni yo bañábamos al perro. Lo bañaba mi sobrino.
3. ¡A Uds. nada les parece bien!

4. Nadie se bajó del tranvía en esa esquina.
5. El año pasado, ninguna de mis hermanas tomaba clases de piano.
6. Ninguno de nosotros quiso aceptar el cheque del Sr. Guerrero.

Ejemplo b: No solicitaron ese empleo ni Cristóbal ni Pedro.
Ni Cristóbal ni Pedro solicitaron ese empleo.

1. Elisa está muy decaída. No le interesa nada.
2. En los Estados Unidos, no nos corregía la pronunciación nadie.
3. No suena ninguno de los teléfonos. Están descompuestos desde antier.
4. Antes, no cerraba a mediodía ninguna de las librerías del centro.
5. Yo no almuerzo nunca en mi casa entre semana.
6. Si Uds. no van a la excursión, nosotros no vamos tampoco.

EJERCICIO II A

Cambie las oraciones según el ejemplo.

Ejemplo: Antes, el subgerente nos saludaba ***a Amparo y a mí.***
(ni a Amparo ni a mí)
Antes, el subgerente ***no*** nos saludaba ***ni a Amparo ni a mí.***

1. Descansé ***mucho*** el sábado pasado.
(nada)
2. El Sr. Galindo le permite ***a su secretaria*** llegar tarde.
(a nadie)
3. La compañía Azcárraga y Bustamante distribuía ***varios productos suizos.***
(ninguno de estos productos)
4. El cine Monterrey exhibía ***muchas películas rusas*** antes.
(ninguna de esas películas)
5. César Guzmán canta . . . ***así, así.***
(ni bien ni mal)
6. Paco me presentó ***a muchas muchachas*** en la reunión.
(a nadie)
7. Isabel y Gloria cambian ***las oraciones*** sin leer el ejemplo primero.
(ninguna de las oraciones)
8. El doctor me prohibió ***el cigarro.***
(nada)
9. La Srita. Reyes inscribe ***a los estudiantes*** de once a doce.
(a ninguno de los estudiantes)
10. Antes conseguíamos ***queso y mantequilla*** en aquel mercado.
(ni queso ni mantequilla)

11. Los pintores pintaron ***el pasillo, la escalera, la sala y el comedor.***
(nada)

12. Vimos ***a Héctor*** en el salón de lectura cuando pasamos por allí.
(a nadie)

EJERCICIO III A

Cambie las oraciones según el ejemplo.

Ejemplo: Yo nunca firmo ***un contrato*** sin leerlo primero.
(nada)

Yo nunca firmo ***nada*** sin leerlo primero.

1. Antes de casarse, ninguna de mis tías salía sola ***en las tardes.***
(nunca)
2. Ni Licha ni Carlos aprenden ***sus lecciones*** porque no estudian.
(nada)
3. Don Emilio nunca le debió dinero ***a Doña Ángela.***
(a nadie)
4. Ninguno de los invitados quiso ***limonada.***
(nada)
5. Ese joven nunca saluda ***a sus compañeros.***
(a ninguno de sus compañeros)
6. A nuestra cocinera nunca se le queman ***los pasteles.***
(nada)

PATRONES DEL IDIOMA B

1. Tanto Yolanda como yo tomamos el café sin azúcar. — *Both Yolanda and I drink our coffee without sugar.*

   Pienso mandarles una tarjeta de Navidad tanto a ti como a tus padres. — *I plan to send both you and your parents a Christmas card.*

2. ¿Ya está listo todo? — *Is everything ready now?*

   ¿Le diste las gracias por todo a Don Manuel? — *Did you thank Don Manuel for everything?*

3. ¿Consiguieron boletos para el partido del domingo todos Uds.? — *Did all of you get tickets for the football game on Sunday?*

   A todos les gustó mucho el vestido de la novia. — *Everybody liked the bride's gown.*

4. Algo se quema. ¿Qué es? — *Something is burning. What is it?*

   ¡Hay que hacer algo para terminar a tiempo! — *Something's got to be done to finish on time!*

5. Alguien tenía que ayudarle a mi mamá con el quehacer. — *Somebody had to help my mother with the housework.*

   ¿Hay alguien en ese cuarto? — *Is there someone in that room?*

6. ¿Quiere cerveza con la comida alguno de Uds.? — *Do any of you want beer with your meal?*

   Antes de la conferencia, el director nos presentó a algunos de los profesores. — *Before the lecture, the director introduced some of the teachers to us.*

EJERCICIO I B

Cambie las oraciones según el ejemplo.

> **Ejemplo:** ***Yo*** tomo el café sin azúcar.
> (tanto Yolanda como yo)
>
> ***Tanto Yolanda como yo tomamos*** el café sin azúcar.

1. Hay que estudiar ***estas materias*** porque va a haber exámenes.
   (tanto física como química)
2. ***La sopa, el guisado y el postre*** estuvieron muy buenos.
   (todo)
3. ¿Trajeron ***las verduras y la fruta?***
   (todo)
4. ***Mis amigos y yo*** tenemos mucha sed. ¿Hay refrescos en el refrigerador?
   (todos)
5. ¿Ya saludaste ***a Jaime?***
   (a todos)
6. Creo que le faltan ***varias páginas*** a este libro.
   (algo)
7. Queremos darle ***una bolsa de piel*** a Alicia el día de su cumpleaños.
   (algo)
8. ***Unos señores*** te dejaron un recado. Lo puse en el tocador.
   (alguien)
9. Me parece que el dueño ya le rentó el local ***a una agencia de viajes.***
   (a alguien)
10. ¿Es ***de Ud.*** este pañuelo de seda?
    (de alguna de Uds.)
11. ¿Saben ***Uds.*** si hay un taller de automóviles cerca de aquí?
    (alguno de Uds.)
12. ***El consultorio del Dr. Baena*** estaba en el cuarto piso.
    (tanto el consultorio del Dr. Baena como el del Dr. Fuentes)

EJERCICIO II

Ejemplo: Antes, la Srita. Torres inscribía a los estudiantes de español. Ahora los inscribe la Srita. Moreno.

(los policías - usar - uniformes grises ... usar - uniformes azules)

Antes, los policías usaban uniformes grises. Ahora usan uniformes azules.

1. la lavandera me - planchar - mi ropa ... yo la - planchar
2. nuestros hijos nunca - comerse - la verdura ... comérsela - muy bien
3. nosotros - preparar - las lecciones en la noche ... las - preparar - en la tarde
4. mi cuñada - acostar - a las niñas a las siete ... las - acostar - a las ocho
5. tú - ser - el primero de la clase ... ser - el último
6. mi prima nunca me - preguntar - por ti ... me - preguntar - a todas horas
7. yo - distribuir - esos productos aquí ... los - distribuir - el Sr. Colón
8. Ud. - ir - a todos los conciertos de la sinfónica . . . ya no - ir ¿Por qué?
9. las luces de la calle - apagarse - a las cinco ... apagarse - a las seis
10. tú y Bernardo se - ver - cada tercer día ... se - ver - cada semana, ¿verdad?
11. Daniel - escoger - sus corbatas ... se las - escoger - su esposa
12. mi nieto nunca - esconder - sus juguetes ... los - esconder - en todas partes

EJERCICIO III

Ejemplo: Yo le corrijo a Lupe su pronunciación y ella me corrige la mía.
(ejercicios) (cartas) (trabajo)

Yo le corrijo a Lupe sus ejercicios y ella me corrige los míos.
Yo le corrijo a Lupe sus cartas y ella me corrige las mías.
Yo le corrijo a Lupe su trabajo y ella me corrige el mío.

1. El director del periódico dijo que sí aceptaba las referencias del Sr. Sánchez, pero las del Sr. Rivera no.
   (solicitud) (poemas) (artículo)
2. Fuimos a la excursión de este mes y a la del mes pasado también.
   (juntas) (baile) (conciertos)
3. Mi sobrinita juega con la pelota chica pero con la grande no.
   (muñecas) (gato) (juguetes)
4. Se me perdió mi encendedor. Por eso usé el tuyo.
   (maletas) (libros) (pluma)
5. Recibí el telegrama de Suecia pero el de Suiza no.
   (tarjeta postal) (cartas) (papeles)
6. José no quería el suéter café. Quería el de rayas.
   (corbatas) (calcetines) (camisa)

LECCIÓN XX

(20ª Lección)

PATRONES DEL IDIOMA A

1. ¿No faltó ningún alumno ayer?	*Wasn't anybody absent yesterday?*
No, no faltó ninguno.	*No, nobody was absent.*
2. ¿No te dieron ningunas instrucciones para llenar la solicitud?	*Weren't you given any instructions to fill out the application?*
No, no me dieron ningunas.	*No, I wasn't given any.*
3. ¿Hay algún recado para mí?	*Is there a message for me?*
Sí, hay uno. Aquí lo tiene Ud.	*Yes, there's one. Here you are.*
4. ¿Tomaste algunas fotografías del desfile?	*Did you take any pictures of the parade?*
Sí, tomé algunas. ¿Quieres verlas?	*Yes, I took some. Do you want to see them?*
5. ¿Iban todos los socios a las juntas?	*Did all the members use to go to the meetings?*
No, no todos iban.	*No, not all of them used to go.*
6. Niños, ¿se comieron toda la verdura?	*Children, did you eat all the vegetables?*
Sí, mamá. Nos la comimos toda.	*Yes, mom. We ate them all.*
7. Se produjo muy poco algodón en el país el año pasado, ¿verdad?	*They produced very little cotton in this country last year, didn't they?*
Sí, se produjo muy poco.	*Yes, very little was produced.*
8. Ya había muy pocos cubiertos, ¿no?	*There wasn't much silverware left, was there?*
Sí, ya había muy pocos. Sólo había siete cucharas, seis tenedores y dos cuchillos.	*No, there was very little left. There were only seven spoons, six forks, and two knives.*
9. El Sr. Cervantes habla varios idiomas, ¿verdad?	*Mr. Cervantes speaks several languages, doesn't he?*
Sí, habla varios. Creo que habla tres o cuatro.	*Yes, he does. I think he speaks three or four.*

EJERCICIO I A Conteste las preguntas según el ejemplo.

Ejemplo: ¿No faltó ningún alumno ayer?
(No, ... ninguno)

No, no faltó ninguno.

1. Don Alfonso Reyes escribió algunos poemas en España, ¿no?
(Sí, ... algunos en Madrid)
2. ¿Hay algún restaurante cerca de aquí?
(Sí, ... uno a una cuadra)
3. ¿Te vas a comer todo ese pescado tú solo? (sola)
(Sí, ... todo yo solo) (sola)
4. ¿Ya planchó Ud. todas las blusas de la señorita?
(Sí, ... todas)
5. Daniel come muy poca carne, ¿verdad?
(Sí, ... muy poca)
6. Ya había muy pocas tazas, ¿no?
(Sí, ... muy pocas. Sólo había tres.)
7. Ud. conoce a varias personas en Veracruz, ¿verdad?
(Sí, ... a varias)
8. ¿Hace mucho calor en Los Ángeles en la primavera?
(Sí, ... mucho)
9. Antes, Uds. iban a muchas excursiones, ¿no?
(Sí, ... a muchas. Íbamos por lo menos a dos cada mes.)
10. La Sra. Galindo compró unos aretes muy finos, ¿verdad?
(Sí, ... unos de oro muy elegantes)
11. ¿No encontraste ningunos cubiertos en la cocina?
(No, ... ningunos)
12. ¿No tomaron Uds. ninguna fotografía de las ruinas?
(No, ... ninguna. Compramos unas tarjetas postales.)

EJERCICIO II A Conteste las preguntas según el ejemplo.

Ejemplo: ¿No faltó ningún alumno ayer?

(No, ... ninguno)	No, no faltó ninguno.
(Sí, ... varios)	Sí, faltaron varios.
(Sí, ... uno)	Sí, faltó uno.

1. ¿Tiene Ud. alguna razón para no cumplir con su deber?
(No, ... ninguna)
(Sí, ... varias. Voy a explicárselas a Ud.)
(Sí, ... una. Soy muy flojo.) (floja)

2. ¿Vinieron todas las alumnas a la clase de baile?
(Sí, ... todas)
(No. Sólo ... algunas)
(No, ... ninguna)

3. Tú haces muy poco ejercicio, ¿verdad?
(Sí, ... muy poco)
(No. ... mucho)

4. Hubo varios desfiles el mes pasado, ¿no?
(Sí, ... varios)
(No. Sólo ... uno)
(No, ... ninguno)

5. Doña María les trajo muchos juguetes a sus nietos, ¿verdad?
(Sí, ... muchos)
(Sí, ... varios a cada uno)
(No, ... ninguno. Les trajo ropa y dulces.)

6. ¿No les sobra a Uds. ningún boleto para la corrida de toros?
(Sí, ... varios)
(No, ... ninguno)
(Sí, ... uno)

7. ¿Hay algunas expresiones difíciles en estas lecciones?
(Sí, ... algunas)
(Sí, ... muchas muy difíciles)
(No, ... ninguna difícil. Todas están muy fáciles.)

8. ¿Entendió Ud. toda la lectura?
(Sí, ... toda)
(No, ... toda. Tuve que preguntarle al profesor algunas palabras.)

9. Por aquí hay pocos ríos, ¿verdad?
(Sí, ... pocos)
(No. ... muchos, pero no son muy grandes)

10. El Ing. Bustamante construyó varias iglesias en esta ciudad, ¿no?
(Sí, ... varias)
(No. Sólo ... una)
(No, ... ninguna)

11. ¿No llevó Ud. ningunas medias de lana cuando fue al Canadá?
(No, ... ningunas. Tuve que comprar unas.)
(Sí, ... unas muy buenas)
(Sí, ... varias porque me dijeron que hacía mucho frío)

12. ¿Es cierto que van a construir un gimnasio en la escuela?
(Sí, creo que ... uno el año que entra)
(No, ... ninguno)

EJERCICIO III

Cambie las oraciones según el ejemplo.

Ejemplo: Muchas personas se quejan de que la policía nunca averigua nada.
Muchas personas se quejaron de que la policía nunca averiguaba nada.
Muchas personas se quejaban de que la policía nunca averiguaba nada.

1. Hay que preguntarle al jefe si llenamos la solicitud a mano o a máquina.
2. El guía dice que esos autobuses se tardan mucho.
3. El Sr. Suki me asegura que repite las oraciones en voz alta muchas veces.
4. El gerente no se da cuenta de que los vendedores no siguen sus instrucciones.
5. No recuerdo si el Sr. Cárdenas fuma cigarros americanos o no.
6. Don Ángel piensa que sus empleados pierden mucho el tiempo.
7. La directora nos explica que se inscriben miles de alumnos cada año.
8. Doña Amalia les cuenta a todos que los Vanderbilt la invitan a sus fiestas.
9. El Ing. Esquivel tiene que contestarnos si ya va a empezar la obra o no.
10. ¿No saben Uds. que el papá de Mario es el campeón nacional de ajedrez?
11. Nadie me quiere creer que mi abuelito juega tenis todos los días.
12. No puedo averiguar si Licha y César pasan las vacaciones aquí o no.

EJERCICIO IV

Use la forma correcta del verbo en pretérito o copretérito, según el ejemplo.

Ejemplo: (yo-barrer) con la escoba porque la aspiradora (estar) descompuesta.
Barrí con la escoba porque la aspiradora estaba descompuesta.

1. (nosotros-estar) en la planta baja cuando (irse) la luz.
2. Yo no (tomar) café hoy en la mañana porque no (haber) gas en casa.
3. Como ya (faltar) un cuarto para las diez, (nosotros-decidir) tomar un taxi.
4. ¿No (fijarse) Uds. si la lámpara de la sala (estar) encendida?
5. ¿Cuántos años (tener) Ud. cuando (casarse)?
6. Mientras yo (bañarse), el teléfono (sonar) varias veces.
7. Carlos (despertarse) y (levantarse) mientras Tere (preparar) el desayuno.
8. En ese momento, sólo (traer) yo quince centavos. Por eso no (comprar) el lápiz.
9. Nosotros (ir) a dejar a Chela a su casa porque ya (ser) muy tarde.
10. Como yo no (tener) sueño, (quedarse) a ver la televisión un rato.
11. ¿Dónde (leer) Ud. que el presidente (ir) a salir del país este año?
12. Los muchachos (tener) mucha sed. Por eso (tomarse) toda la limonada.

EJERCICIO V

Conteste las preguntas.

1. ¿Por qué se enojó contigo tu novio? (novia)
2. ¿Nadie preguntó por mí ayer?
3. ¿De quién es aquel paraguas, de Ud. o de Marie?
4. ¿Cuándo le ibas a hablar al dentista?
5. ¿Les entendió Ud. a todos los actores de la obra?
6. ¿Tú le crees a Pepe?
7. ¿Cómo se hablan tú y tu suegro, de tú o de Ud.?
8. Blanca y Bernardo se iban a casar el mes pasado, ¿verdad?
9. ¿A quién se parece Ud., a su papá o a su mamá?
10. ¿Por qué no hicieron la tarea ni Ud. ni el Sr. Carter?
11. ¿No te trajeron nada tus tíos de su viaje a Inglaterra?
12. ¿No había nadie en el salón cuando Uds. llegaron?
13. ¿Es cierto que tanto tú como el Sr. Baena iban a invertir aquí?
14. ¿Ya están todos Uds. listos para el examen?
15. ¿Qué buscas? ¿Se te perdió algo?
16. ¿No faltó ningún alumno la clase pasada?
17. ¿Tomó Ud. algunas fotografías del desfile?
18. ¿Cuánto tiempo ibas a quedarte en Río de Janeiro?

LECCIÓN XXI

(21º Lección)

PATRONES DEL IDIOMA A

1. ¿A quién estás esperando?	*Who(m) are you waiting for?*
Estoy esperando al Sr. Gallardo.	*I'm waiting for Mr. Gallardo.*
2. ¿Qué está Ud. estudiando ahorita?	*What are you studying now?*
Estoy estudiando la Lección XXI.	*I'm studying Lesson XXI.*
3. ¿Ya se está arreglando Elena?	*Is Elena getting ready?*
Sí, ya se está arreglando.	*Yes, she's getting ready.*
4. ¿Está lloviendo?	*Is it raining?*
Sí, está lloviendo muy fuerte.	*Yes, it's raining very hard.*
5. ¿Dónde están vendiendo los boletos para el baile?	*Where are they selling the tickets for the dance?*
Están vendiéndolos en la oficina de informes.	*They're selling them at the information office.*
6. ¿Qué están haciendo?	*What are you doing?*
Estamos leyendo los ejemplos en voz alta.	*We're reading the examples aloud.*
7. ¿Qué película están exhibiendo en en el cine Palacio?	*What picture is playing at the Palacio Theater?*
Están exhibiendo *Feliz año, amor mío.*	Feliz año, amor mío *is playing there.*
8. ¿Ya están escribiendo las cartas las secretarias?	*Have the secretaries already started writing the letters?*
Sí, ya están escribiéndolas.	*Yes, they've already started writing them.*
9. ¿Me estás oyendo?	*Are you paying attention to me?*
Sí, te estoy oyendo.	*Yes, I'm paying attention to you.*

EJERCICIO A

Ejemplo a: ¿Qué estás haciendo? (¿Qué está Ud. haciendo?)

Estoy esperando al Sr. Gallardo. (Estoy esperando ...)

(escribir - una carta)

¿Qué estás haciendo? (¿Qué está haciendo?)

Estoy escribiendo una carta. (Estoy escribiendo ...)

1. buscar - unas fotografías
2. merendar
3. arreglar - la estufa
4. preparar - la lección de mañana
5. terminar - el balance
6. planchar - unos pañuelos
7. leer - unos poemas
8. sacudir - los muebles
9. poner - la mesa
10. traducir - un artículo
11. hacer - la tarea
12. oir - las noticias

Ejemplo b: ¿Ya están escribiendo las cartas las secretarias?

Sí, ya las están escribiendo. **o:** Sí, ya están escribiéndolas.

(arreglarse - Elena)

¿Ya se está arreglando Elena? **o:** ¿Ya está arreglándose Elena?

Sí, ya se está arreglando. **o:** Sí, ya está arreglándose.

1. contestar - la carta - Elisa
2. desayunarse - Antonio y Luis
3. echarse - a perder - la fruta
4. quitársete - el dolor de cabeza
5. escoger - los regalos - tus hermanas
6. exhibir - esa película - el cine Palacio
7. barrer - el patio - los mozos
8. inscribir - a los alumnos - el Sr. Vega

Ejemolo c: ¿Qué están haciendo?

Yo estoy estudiando y Margarita está leyendo una revista.

(cenar ... ver - la televisión)

¿Qué están haciendo?

Yo estoy cenando y Margarita está viendo la televisión.

1. lavar - los platos ... barrer
2. darles - de comer a los muchachos ... sacudir - los muebles
3. tomarse - una taza de café ... hacer - un pastel
4. ayudarle - a mamá con el quehacer ... oir unos discos
5. jugar - con el niño aquí ... esconder - su regalo de cumpleaños
6. apenas - llenar - la solicitud ... ya - inscribirse

PATRONES DEL IDIOMA B

1. ¿Está dando clases de inglés su primo?	*Is your cousin teaching English?*
Sí, está dando clases de inglés.	*Yes, he's teaching English.*
2. Se le está cayendo mucho el pelo a tu tío, ¿verdad?	*Your uncle is losing a lot of hair, isn't he?*
Sí, se le está cayendo.	*Yes, he certainly is.*
3. ¿Quién está construyendo aquel edificio?	*Who's building that building?*
Está construyéndolo el Arq. Pérez Rivera.	*Mr. Pérez Rivera is building it.*
4. ¿Es cierto que Uds. andan buscando departamento?	*Is it true that you're looking for an apartment?*
Sí, andamos buscando uno cerca de aquí.	*Yes, we're looking for one near here.*
5. ¿Qué andas vendiendo?	*What are you selling?*
Ando vendiendo seguros.	*I'm selling insurance.*
6. ¿Qué anda haciendo ese joven?	*What's that young man doing?*
Anda distribuyendo muestras de jabón.	*He's giving out sample bars of soap.*
7. ¿Sigues trabajando en Santa Fe?	*Are you still working in Santa Fe?*
Sí, sigo trabajando allá.	*Yes, I'm still working there.*
8. ¿Sigue lloviendo todavía?	*Is it still raining?*
Sí, sigue lloviendo.	*Yes, it's still raining.*
9. ¿Siguen Uds. yendo a las excursiones del club?	*Do you still go on the club excursions?*
Sí, seguimos yendo.	*Yes, we still go.*

EJERCICIO I B

Ejemplo a: ¿Está dando clases de inglés su primo?
Sí, está dando clases de inglés.

(perder - mucho dinero - en el negocio?)

¿Está perdiendo mucho dinero en el negocio?
Sí, está perdiendo mucho.

1. trabajar - los sábados
2. tomar - la medicina
3. pasar - por Uds.
4. fumar - mucho
5. aprender - ruso
6. recorrer - toda Europa
7. ir - a las conferencias
8. salir - muy tarde del trabajo

Ejemplo b: ¿Qué andan Uds. haciendo por aquí? (¿Qué andas haciendo...?)
Andamos dando una vuelta. (Ando dando ...)

(distribuir - muestras de jabón)

¿Qué andan haciendo por aquí ? (¿Qué andas haciendo ...?)
Andamos distribuyendo muestras de jabón. (Ando distribuyendo ...)

1. comprar - cubiertos y una vajilla
2. entregar - invitaciones para la boda
3. buscar - un departamento
4. arreglar - unos papeles
5. pagar - el teléfono y la luz
6. ayudarle - al Sr. Guzmán
7. conocer - la ciudad
8. vender - seguros
9. ver - el desfile
10. cumplir - con nuestro (mi) deber
11. distribuir - estos productos
12. abrir - una cuentra en el banco

Ejemplo c: ¿Sigue Ud. trabajando en Santa Fe? (¿Siguen Uds. trabajando ...?)
Sí, sigo trabajando allá. (Sí, seguimos trabajando ...)

(traer - el diccionario)

¿Sigue trayendo el diccionario? (¿Siguen trayendo ...?)
Sí, lo sigo trayendo. (Sí, lo seguimos trayendo.)
o: Sí, sigo trayéndolo. (**o:** Sí, seguimos trayéndolo.)

1. cerrar - la tienda a mediodía
2. faltár - a clases
3. almorzar - en ese restaurante
4. visitar - a Elsie muy seguido
5. entrar - a la oficina a las nueve
6. bailar - en el teatro
7. leer - periódicos en español
8. comer - en el centro
9. tener - reuniones los jueves
10. recibir - esa revista
11. construir - su casa
12. ir - a las juntas del consejo

EJERCICIO II B

Cambie las oraciones según el ejemplo.

Ejemplo: Tú usas el coche de tu papá, ¿no?
Tú estás usando el coche de tu papá, ¿no?
Tú andas usando el coche de tu papá, ¿no?
Tú sigues usando el coche de tu papá, ¿no?

1. El perro se sube a los sillones de la sala.
2. ¿Por qué rompen los vidrios de las ventanas?
3. Mi sobrinita les presta sus muñecas a sus compañeras del colegio.
4. El gato juega con la pelota de Paco.
5. ¿Es cierto que Ud. trae ropa de los Estados Unidos?
6. Tanto el gerente como el subgerente recorren las sucursales.
7. El Ing. Guerrero construye una carretera cerca de aquí.
8. Traduzco los cuentos de Juan José Arreola.
9. La camioneta se descompone muy seguido.
10. ¿Necesitas dinero?
11. Distribuimos muestras de nuestros productos en toda América.
12. Los muchachos nadan en el río.

LECCIÓN XXII

(22ª Lección)

PATRONES DEL IDIOMA A

1. Estoy invirtiendo mis ahorros en acciones.	*I'm investing my savings in stock.*
2. ¿Por qué estás mintiendo?	*Why are you lying?*
3. María Elena me dice en su carta que todos andan divirtiéndose mucho por allá.	*María Elena tells me in her letter that everybody is having a very good time.*
4. ¿Siguen Uds. viniendo al Club de Conversación?	*Do you still come to the Conversation Club?*
5. Los maestros están corrigiendo los exámenes.	*The teachers are correcting the exams.*
6. ¿De qué se está riendo Ud.?	*What are you laughing at?*
7. Andamos consiguiendo permiso para hacer la fiesta aquí.	*We're trying to get permission to have the party here.*
8. ¿Te sigue pidiendo dinero prestado tu suegro?	*Does your father-in-law still borrow money from you?*
9. El perrito está muriéndose.	*The little dog is dying.*
10. Estoy muy cansado. Me estoy durmiendo.	*I'm very tired. I'm falling asleep.*

EJERCICIO I A

Ejemplo a: Estoy invirtiendo mis ahorros en acciones. (Estamos invirtiendo nuestros ahorros en acciones.)

(decirte - la verdad)

Te estoy diciendo la verdad. (Te estamos diciendo la verdad.)

1. no - mentir
2. divertirse - mucho
3. venir - a todas las conferencias
4. no - reirse - de nadie
5. morirse - de calor
6. decir - la verdad

Ejemplo b: ¿Por qué estás mintiendo? (¿Por qué está Ud. mintiendo?)

(no - repetir - las oraciones)

¿Por qué no estás repitiendo las oraciones? (¿Por qué no está repitiendo las oraciones?)

1. pedir - dinero prestado
2. no - corregir - la tarea
3. reirse - de nosotros
4. dormirse - en clase
5. no - invertir - en ese negocio
6. repetir - el segundo curso

EJERCICIO II A

Ejemplo: María Elena me dice en su carta que todos andan divirtiéndose mucho por allá.

(ella ... arrepentirse - de casarse con Juan)

Me dice que ella anda arrepintiéndose de casarse con Juan.

1. su tío César ... invertir - sus ahorros allá
2. Pedro ... pedirles - dinero prestado a todos
3. todos ... morirse - de frío por allá
4. algunas personas ... decir - mentiras de mí
5. sus primos ... conseguir - dinero para venir
6. Juan ... arrepentirse - de casarse con ella

EJERCICIO III A

Ejemplo: ¿Siguen Uds. viniendo al Club de Conversación?

(preferir - las películas musicales)

¿Siguen prefiriendo las películas musicales?

1. corregirle - las cartas al Sr. Suki
2. decir - que el español es muy fácil
3. preferir - los cigarros americanos
4. repetir - las oraciones en casa
5. dormirse - en las clases
6. pedir - el gas por teléfono

PATRONES DEL IDIOMA B

1. ¿Estuviste viviendo en Venezuela mucho tiempo? — *Did you live in Venezuela for a long time?*

   Sí, estuve viviendo allá mucho tiempo. — *Yes, I lived there for a long time.*

2. ¿Estuvo tu hermano en casa ayer en la tarde? — *Was your brother home yesterday afternoon?*

   Sí, estuvo resolviendo unos problemas de álgebra. — *Yes, he spent all afternoon working on some problems in algebra.*

3. ¿Qué anduvieron haciendo ayer en la mañana? — *What did you do yesterday morning?*

   Anduvimos preguntando por Pepe en todas partes pero no lo encontramos. — *We looked for Pepe everywhere, but we couldn't find him.*

4. ¿Dónde anduvo Emilio toda la mañana? — *Where was Emilio all morning?*

   Anduvo jugando beisbol con los vecinos. — *He spent the morning playing baseball with the neighbors.*

5. ¿Siguieron Uds. siendo amigos de Graciela después de recibirse? — *Were you and Graciela still close friends after you graduated?*

   No, ya no seguimos siendo amigos de ella. — *No, we weren't close friends anymore.*

6. ¿Le siguió conviniendo el negocio después que prohibieron las importaciones? — *Was the business still worthwhile for you after the imports were stopped?*

   No, ya no siguió conviniéndome. — *No, it wasn't worthwhile anymore.*

EJERCICIO I B

Ejemplo a: ¿Estuviste viviendo en Venezuela mucho tiempo? (¿Estuvieron Uds. viviendo en Venezuela mucho tiempo?)

Sí, estuve viviendo allá mucho tiempo. (Sí, estuvimos viviendo allá mucho tiempo.)

(seguir - las instrucciones)

¿Estuviste siguiendo las instrucciones? (¿Estuvieron siguiendo las instrucciones?)

Sí, estuve siguiéndolas. (Sí, estuvimos siguiéndolas.)

1. solicitar - el permiso de importación
2. pensar - en la situación
3. preguntar - por nosotros
4. resolver - los problemas
5. ir - a todos los conciertos
6. seguir - las instrucciones

Ejemplo b: ¿Estuvo tu hermano en casa ayer en la tarde? (¿Estuvieron tus hermanos en casa ayer en la tarde?)

Sí, estuvo resolviendo unos problemas de álgebra. (Sí, estuvieron resolviendo unos problemas de álgebra.)

(dormir - toda la tarde)

¿Estuvo tu hermano en casa ayer en la tarde? (¿Estuvieron tus hermanos en casa ayer en la tarde?)

Sí, estuvo durmiendo toda la tarde. (Sí, estuvieron durmiendo toda la tarde.)

1. jugar - ajedrez conmigo
2. explicarme - la lección
3. descansar - toda la tarde
4. escribir - algo
5. corregirme - la tarea
6. dormir - toda la tarde

EJERCICIO II B

Ejemplo a: ¿Qué anduvieron haciendo? (¿Qué anduviste haciendo?)

Anduvimos preguntando por Pepe en todas partes. (Anduve preguntando por Pepe en todas partes.)

(divertirse - con unos amigos)

¿Qué anduvieron haciendo? (¿Qué anduviste haciendo?)

Anduvimos divirtiéndonos con unos amigos. (Anduve divirtiéndome con unos amigos.)

1. manejar - casi todo el día
2. hablar - con unos clientes
3. caminar - por el centro
4. averiguar - algunas direcciones
5. pedir - dinero prestado
6. conseguir - unos discos

Ejemplo b: ¿Dónde anduvo Emilio? (¿Dónde anduvieron Emilio y Daniel?)

Anduvo jugando beisbol con los vecinos. (Anduvieron jugando beisbol con los vecinos.)

(despedirse - de sus amigos)

¿Dónde anduvo Emilio? (¿Dónde anduvieron Emilio y Daniel?)

Anduvo despidiéndose de sus amigos. (Anduvieron despidiéndose de sus amigos.)

1. averiguar - la hora de salida del tren
2. pagar - unas cuentas
3. dar - una vuelta por el parque
4. inscribirse - en la universidad
5. divertirse - con sus compañeros
6. despedirse - de todos

EJERCICIO III B

Ejemplo a: ¿Siguieron Uds. siendo amigos de Graciela? (¿Seguiste siendo amigo de Graciela?)

No, ya no seguimos siendo amigos de ella. (No, ya no seguí siendo amigo de ella.)

(sentirse - decaídos)

¿Siguieron sintiéndose decaídos? (¿Seguiste sintiéndote decaído?)

No, ya no seguimos sintiéndonos decaídos. (No, ya no seguí sintiéndome decaído.)

1. echar - de menos - al perrito
2. rentar - ese despacho
3. pintar - los muebles
4. deberle - a Don Bernardo
5. ser - demócrata(s)
6. sentirse - decaído(s)

Ejemplo b: ¿Le siguió conviniendo el negocio? (¿Le siguieron conviniendo los negocios?)

No, ya no siguió conviniéndome. (No, ya no siguieron conviniéndome)

(servir - el libro)

¿Le siguió sirviendo el libro? (¿Le siguieron sirviendo los libros?)

No, ya no siguió sirviéndome. (No, ya no siguieron sirviéndome.)

1. simpatizar - aquella muchacha
2. interesar - el curso
3. sobrar - cerveza
4. gustar - la novela
5. parecer - difícil - la lección
6. doler - la muela
7. convenir - el horario
8. servir - el diccionario

LECCIÓN XXIII

(23ª Lección)

PATRONES DEL IDIOMA A

1. Teresa me estuvo sonriendo hasta que su tía se dio cuenta. — *Teresa kept smiling at me until her aunt noticed it.*

2. Las niñas anduvieron poniéndose la ropa de su mamá y después se quedaron dormidas. — *The little girls tried on their mother's clothes until they fell asleep.*

3. Mientras yo seguí leyendo el informe, el contador terminó el balance. — *While I continued reading the report, the accountant finished making out the balance sheet.*

4. Nos estuvimos levantando tarde la semana pasada porque estábamos de vacaciones. — *We got up late every day last week because we were on vacation.*

5. Como nosotros no conocíamos a nadie, Doña Marta nos anduvo presentando a todos los invitados. — *Since we didn't know anybody, Doña Marta went around introducing us to all the guests.*

6. Ya era muy tarde; por eso no te seguimos esperando. — *It was very late. That's why we didn't wait for you any longer.*

EJERCICIO A

Cambie las oraciones según los ejemplos.

a: Teresa me ***sonrió*** hasta que su tía se dio cuenta.
(estar)

Teresa me estuvo sonriendo hasta que su tía se dio cuenta.

b: Las niñas ***se pusieron*** la ropa de su mamá y después se quedaron dormidas.
(andar)

Las niñas anduvieron poniéndose la ropa de su mamá y después se quedaron dormidas.

1. La semana pasada ***volví*** a la oficina en las tardes porque tuve mucho trabajo.
(estar)

2. Mi hermano ***se puso*** mis corbatas hasta que me enojé.
(andar)

3. La sirvienta se fue a las diez y después yo ***serví*** las copas.
(seguir)

4. Ayer me encontré una fotografía de mis compañeros de escuela y ***recordé*** los nombres de todos ellos.
(estar)

5. Los vecinos **se quejaron** de nosotros hasta que decidimos invitarlos a nuestras fiestas.
(andar)
6. El timbre no **sonó** porque se fue la luz a las once.
(seguir)
7. La Sra. López me **contó** que ella siempre invertía sus ahorros en acciones.
(estar)
8. Nadie hablaba inglés en ese pueblo. Por eso **hablamos** español todo el día.
(andar)
9. Como me caía muy bien la Srita. Carter, **me senté** cerca de ella.
(seguir)
10. **Nos quedamos** en un hotel mientras buscábamos un departamento.
(estar)
11. Mis compañeros me **preguntaron** si la junta iba a ser aquí.
(andar)
12. Cristóbal **cantó** muy contento mientras se bañaba.
(seguir)

PATRONES DEL IDIOMA B

1. ¿Estaban Uds. pasando las vacaciones con su padres?	*Were you spending your vacation with your parents?*
Sí, estábamos pasándolas con ellos.	*Yes, we were spending it with them.*
2. ¿Seguías llegando tarde a la oficina?	*Did you continue getting to the office late?*
No, ya no seguía llegando tarde.	*No, I didn't.*
3. Ya se te andaba olvidando la llave, ¿verdad?	*You were forgetting your key, weren't you?*
Sí, ya se me andaba olvidando.	*Yes, I was forgetting it.*
4. Ya estaba terminando la función cuando llegamos al teatro.	*The show was almost over when we got to the theater.*
5. Amparo y Roberto siempre se andaban enojando porque a ella le gustaba mucho bailar y a él no.	*Amparo and Roberto were always quarreling because she liked to dance very much and he didn't.*
6. El señor embajador me preguntaba si seguían produciéndose refacciones para automóviles de ese modelo.	*The ambassador asked me if they were still making parts for automobiles of that model.*
7. María Luisa me dijo que apenas estaba vistiendo a los niños.	*María Luisa told me that she was just getting the children dressed.*

EJERCICIO I B

Ejemplo a: ¿Estaban Uds. pasando las vacaciones con sus padres?
Sí, estábamos pasándolas con ellos.

(devolver - Ud. - los libros)

¿Estaba Ud. devolviendo los libros?
Sí, los estaba devolviendo.

1. saludar - Uds. - a los profesores
2. peinarse - Ud.
3. bañarse - Ud.
4. obedecer - Uds. - las órdenes
5. recibirse - Uds. - en esos días
6. dormir - Ud. - a la niña

Ejemplo b: ¿Seguías llegando tarde a la oficina?
No, ya no seguía llegando tarde.

(creerle - a Blanca)

¿Seguías creyéndole a Blanca?
No, ya no le seguía creyendo.

1. bajarse - en esa esquina
2. acostarse - muy tarde
3. mandarle - tarjetas postales a Ofelia
4. comer - pescado los viernes
5. vestirse - de negro
6. venir - al Club de Conversación

Ejemplo c: Ya se te andaba olvidando la llave, ¿verdad?
Sí, ya se me andaba olvidando.

(caerse - los aretes)

Ya se te andaban cayendo los aretes, ¿verdad?
Sí, ya se me andaban cayendo.

1. quemarse - el pastel
2. acabarse - las medicinas
3. olvidarse - las maletas
4. romperse - los zapatos
5. perderse - el billete de a cien
6. morirse - el perrito

EJERCICIO II B

Ejemplo a: Ya (terminarse) la función cuando llegamos al teatro.
Ya se estaba terminando la función cuando llegamos al teatro.

1. Los policías (prohibir) el paso por allí mientras arreglaban la carretera.
2. Tu papá me dijo que tú apenas (vestirse).
3. Rosa María (cocinar) porque la cocinera estaba enferma.
4. Yo (lavarse) los dientes cuando me llamaste.
5. Los maestros siempre nos preguntaban si les (entender) o no.
6. La Sra. González me contó que (hacer) mucho calor en Veracruz.

Ejemplo b: Amparo y Roberto siempre (enojarse) porque a ella le gustaba mucho bailar y a él no.
Amparo y Roberto siempre se andaban enojando porque a ella le gustaba mucho bailar y a él no.

1. El gerente se quejaba de que Ud. (perder) el tiempo y no trabajaba.
2. Héctor me aseguró que tú siempre le (pegar) a su hermanito.
3. Nosotros estábamos en el restaurante mientras Uds. (inscribirse).
4. Doña Rosario ya se dio cuenta de que nosotros (comerse) sus chocolates.
5. El Arq. Gutiérrez (despedirse) de todos porque ya se iba a Venezuela.
6. Los mozos ya (apagar) las luces del patio cuando nosotros salimos.

Ejemplo c: El señor embajador me preguntaba si (producirse) refacciones para automóviles de ese modelo.
El señor embajador me preguntaba si seguían produciéndose refacciones para automóviles de ese modelo.

1. Varios empleados me dijeron que tú les (permitir) llegar tarde.
2. ¿Te (faltar) tiempo para estudiar cuando estabas de vacaciones?
3. ¿(ir) Ud. al gimnasio cuando tenía exámenes?
4. Manuel no era feliz porque todavía (querer) a Margarita.
5. La policía averiguó que los ladrones (cruzar) la frontera por el río.
6. La Srita. Martínez me contestó que (haber) reuniones todos los miércoles.

PATRONES DEL IDIOMA C

1. Paco ya no quería seguir estudiando porque quería trabajar. *Paco didn't want to continue studying because he wanted to work.*
2. Tuvimos que andar consiguiendo dinero porque ya no teníamos. *We had to around borrowing money because we didn't have any.*
3. Hay que estar practicando constantemente porque si no, se olvida todo. *One must practice constantly because if not, everything will be forgotten.*
4. Estuve ayudándole al chofer a cambiar una llanta. *I helped the driver change a tire.*
5. Se nos seguía echando a perder la fruta porque no teníamos refrigerador. *Our fruit was still spoiling because we didn't have a refrigerator.*
6. Los empleados andan pensando hacerle una fiesta al jefe el día de su cumpleaños. *The employees are thinking about giving the boss a party on his birthday.*

EJERCICIO C

Cambie las oraciones según los ejemplos.

a: Le ***ayudé*** al chofer a cambiar una llanta.
(estuve ...)
Le estuve ayudando al chofer a cambiar una llanta.

1. Se nos ***echa*** a perder la fruta porque no tenemos refrigerador.
(sigue ...)
2. Yolanda y Alfonso ***querían*** salir de vacaciones el mes pasado.
(andaban ...)
3. El mozo ***acaba*** de lavar el coche.
(está ...)
4. ***Tuve*** que venir a todas las conferencias.
(seguí ...)
5. Fernando me ***invitó*** a ir de día de campo con su familia.
(anduvo ...)
6. En ese tiempo, Elsie ya ***empezaba*** a entender todo en español.
(estaba ...)

b: Paco ya no ***seguía*** estudiando porque quería trabajar.
(quería ...)

Paco ya no quería seguir estudiando porque quería trabajar.

1. La Srita. Ochoa ***anda*** diciendo por todas partes que eres muy flojo.
(va a ...)
2. Ya no ***seguí*** leyendo anoche porque se fue la luz.
(pude ...)
3. ***Estábamos*** practicando las oraciones constantemente.
(había que ...)
4. Emilio ***anda*** pidiendo dinero prestado.
(no quiere ...)
5. ***Seguíamos*** yendo a todos los conciertos de la sinfónica.
(pensábamos ...)
6. El señor embajador y su esposa ***estaban*** recibiendo a los invitados.
(tenían que ...)

LECCIÓN XXIV

(24ª Lección)

PATRONES DEL IDIOMA A

1. Estas telas son baratas.	*This material is cheap.*
Ésas son más baratas que éstas.	*Those over there are cheaper than these.*
Aquéllas son las más baratas de todas.	*Those way over there are the cheapest.*
2. El profesor de historia era muy severo.	*The history professor was very strict.*
El de geografía era menos severo que el de historia.	*The geography professor was less strict than the history professor.*
El de química era el menos severo de todos.	*The chemistry professor was the least strict of all.*
3. Estos televisores son buenos.	*These T.V. sets are good.*
Ésos son mejores que éstos.	*Those over there are better than these.*
Aquéllos son los mejores de todos.	*Those way over there are the best.*
4. Mi cámara es mala.	*My camera is poor quality.*
La tuya es peor que la mía.	*Yours is worse than mine.*
La de David es la peor de todas.	*David's is the worst of all.*
5. Pepe tiene veintiséis años, Manuel tiene veintisiete y Antonio tiene veintinueve.	*Pepe is twenty-six, Manuel is twenty-seven, and Antonio is twenty-nine.*
Manuel es mayor que Pepe y Antonio es el mayor de los tres.	*Manuel is older than Pepe, and Antonio is the oldest of the three.*
6. Lupe tenía nueve años, Tere tenía siete y Anita tenía seis.	*Lupe was nine, Tere was seven and Anita was six.*
Tere era menor que Lupe y Anita era la menor de las tres.	*Tere was younger than Lupe and Anita was the youngest of the three.*

EJERCICIO I A

Ejemplo a: El sillón rojo era muy cómodo.
(el azul ... el rojo)
(el verde ... los tres)

El azul era más cómodo que el rojo.
El verde era el más cómodo de los tres.

1. Tus cigarros son fuertes.
(los míos ... los tuyos)
(los de mi papá ... todos)

2. El verbo caber es muy irregular.
(el verbo venir ... el verbo caber)
(el verbo ir ... los tres)

3. Esta tela es muy fina.
(ésa ... ésta)
(aquélla ... las tres)

4. La séptima lección es larga.
(la octava ... la séptima)
(la novena ... todas)

5. Aquellos cuadros son bonitos.
(ésos ... aquéllos)
(éstos ... todos)

6. La fábrica de ropa es muy grande.
(la de jabón ... la de ropa)
(la de motores ... las tres)

Ejemplo b: Aquellas llantas son muy caras.
(ésas ... aquéllas)
(éstas ... todas)
Ésas son menos caras que aquéllas.
Estas son las menos caras de todas.

1. Las novelas de misterio son muy interesantes.
(las de vaqueros ... las de misterio)
(las de policías y ladrones ... todas)

2. Mi profesora de latín era muy severa.
(la de Uds. ... la mía)
(la de Daniel ... las tres)

3. Éste modelo es muy elegante.
(ése ... éste)
(aquél ... los tres)

4. La película del cine Palacio es muy aburrida.
(la del Roma ... la del Palacio)
(la del Alameda ... las tres)

5. Chaplin es muy famoso.
(Fernandel ... Chaplin)
(Cantinflas ... los tres)

6. Estos muebles son muy fuertes.
(aquéllos ... estos)
(ésos ... todos)

EJERCICIO II A

Ejemplo: Las acciones de la compañía de gas eran muy buenas.
(las de la compañía de luz ... mejores ... las de la compañía de gas)
(las de la compañía de teléfonos ... mejores ... todas)
Las de la compañía de luz eran mejores que las de la compañía de gas.
Las de la compañía de teléfonos eran las mejores de todas.

1. Los quesos de aquí son buenos.
(los franceses ... mejores ... los de aquí)
(los suizos ... mejores ... todos)

2. Tu pronunciación es buena.
(la de Marie ... mejor ... la tuya)
(la de Elsie ... mejor ... todas)

3. Mis calificaciones fueron malas.
(las tuyas ... peores ... las mías)
(las de Gloria ... peores ... todas)

4. Mi reloj es malo.
(el tuyo ... peor ... el mío)
(el de Paco ... peor ... los tres)

5. Estos discos son malos.
(ésos ... peores ... éstos)
(aquéllos ... peores ... todos)

6. Mi cámara es buena.
(la de Ud. ... mejor ... la mía)
(la del jefe ... mejor ... las tres)

EJERCICIO III A **Repita las oraciones siguientes y llene los espacios con** mayor, menor, mayores o menores.

a: Ángela tiene diecinueve años.	**b:** Ángel tenía catorce años. 14
Blanca tiene veintiuno.	Benito tenía doce. 12
Carmen tiene veintitrés.	Carlos tenía diez. 10
Chela tiene veinticinco.	David tenía ocho. 8

a: 1. Ángela es ___menor___ que Blanca.

2. Blanca es ___mayor___ que Ángela.

3. Ángela y Blanca son ___menores___ que Carmen y Chela.

4. Carmen y Chela son ___mayores___ que Ángela y Blanca.

5. Ángela es la ___menor___ de las cuatro.

6. Chela es la ___mayor___ de todas.

b: 1. Ángel era ___mayor___ que Benito.

2. Benito era ___menor___ que Ángel.

3. Ángel y Benito eran ___mayores___ que Carlos y David.

4. Carlos y David eran ___menores___ que Ángel y Benito.

5. Ángel era el ___mayor___ de todos.

6. David era el ___menor___ de los cuatro.

PATRONES DEL IDIOMA B

1. Tú consigues muchos contratos.	*You close a lot of contracts.*
Consigues más contratos que el Ing.. Ortiz.	*You close more contracts than Mr. Ortiz.*
Consigues más contratos que nadie.	*You close more contracts than anyone.*
2. El Sr. Orozco vende pocos seguros.	*Mr. Orozco sells few insurance policies.*
Vende menos seguros que el Sr. Ruiz.	*He sells fewer than Mr. Ortiz.*
Vende menos seguros que ningún otro agente.	*He sells fewer than any other agent.*
3. Ricardo compraba muchos discos.	*Ricardo used to buy a lot of records.*
Compraba más discos que nosotros.	*He used to buy more records than we did.*
Compraba más discos que nadie.	*He used to buy more records than anybody.*
4. Conozco a pocas personas aquí.	*I only know a few people here.*
Conozco a menos personas aquí que a Ud.	*I know fewer than you do.*
Conozco a menos personas aquí que ninguno de Uds.	*I know fewer people here than any of you.*

EJERCICIO B

Ejemplo a: Escribimos muchas cartas.
(Uds.)
(nadie)

Escribimos más cartas que Uds.
Escribimos más cartas que nadie.

1. Amalia tuvo que planchar mucha ropa.
   (Licha)
   (nadie)
2. Antes, yo debía mucho dinero.
   (Ud.)
   (ninguno)
3. Los Barrón compran muchas revistas.
   (nosotros)
   (nadie)
4. Tengo mucha hambre.
   (tú)
   (nadie)
5. Rivera pintaba muchos cuadros.
   (Orozco)
   (ningún otro pintor)
6. Antes, mandábamos muchas tarjetas de Navidad.
   (tú)
   (nadie)

Ejemplo b: Tomo poco café.
(mi hermano David)
(ninguno de mis hermanos)

Tomo menos café que mi hermano David.
Tomo menos café que ninguno de mis hermanos.

1. Tú lees pocos libros.
   (yo)
   (nadie)
2. Esa sucursal está produciendo pocas ganancias.
   (ésta)
   (ninguna otra sucursal)
3. Yo recibí muy pocos regalos de Navidad el año pasado.
   (César)
   (nadie en mi casa)
4. Comí poco guisado.
   (Uds.)
   (ninguno)
5. En esa compañía piden pocas referencias.
   (en aquélla)
   (en ninguna otra parte)
6. El cine América exhibía pocas películas italianas.
   (el Nacional)
   (ningún otro cine)

PATRONES DEL IDIOMA C

1. El Sr. Cárdenas habla muy despacio.	*Mr. Cárdenas speaks very slowly.*
Habla más despacio que el Sr. Guzmán.	*He speaks slower than Mr. Guzmán.*
Habla más despacio que ninguno de mis socios.	*He speaks the slowest of my business partners.*
2. Tú caminas muy aprisa.	*You always walk very fast.*
Caminas más aprisa que yo.	*You walk faster than I do.*
Caminas más aprisa que nadie.	*You walk faster than anybody.*
3. La Sra. Miranda viste muy bien.	*Mrs. Miranda dresses very well.*
Viste mejor que sus primas.	*She dresses better than her cousins.*
Viste mejor que nadie.	*She's the best dressed woman I know.*
4. Yo cocino muy mal.	*My cooking is very bad.*
Cocino peor que Ud.	*It's worse than yours.*
Cocino peor que ninguna de Uds.	*I cook worse than any of you.*
5. Te va a gustar mucho este dulce.	*You'll like this dessert.*
Te va a gustar más que el dulce de frutas.	*You'll like it better than the compote.*
Te va a gustar más que ningún otro dulce.	*You'll like it better than any other dessert you've ever tried.*
6. Nosotros nadamos muy poco el domingo pasado.	*We didn't swim very much last Sunday.*
Nadamos menos que Uds.	*We didn't swim as much as you did.*
Nadamos menos que ninguno.	*Everyone swam more than we did.*

EJERCICIO C

Ejemplo a: Los vecinos pintan su casa muy seguido.
(nosotros)
(nadie por aquí)

La pintan más seguido que nosotros.
La pintan más seguido que nadie por aquí.

1. Graciela se arregla muy despacio.
(Isabel)
(nadie)

2. Antes, yo almorzaba muy temprano.
(mi hermano)
(nadie en mi casa)

3. La Srita. Reyes vive muy lejos.
(la Srita. Baena)
(nadie)

4. Tú manejaste muy aprisa.
(yo)
(ninguno de nosotros)

5. Está lloviendo muy fuerte.
(ayer)
(nunca)

6. La iglesia de San Francisco está cerca.
(la de San Fernando)
(ninguna otra iglesia)

Ejemplo b: Antes, yo practicaba mucho.
(más ... Yolanda)
(más ... ninguno de mis compañeros)

Practicaba más que Yolanda.
Practicaba más que ninguno de mis compañeros.

1. La niña está comiendo muy bien.
(mejor ... el niño)
(mejor ... ninguno de nosotros)

2. Bailas muy mal.
(peor ... yo)
(peor ... nadie)

3. Los boletos para el futbol están costando muy poco.
(menos ... antes)
(menos ... nunca)

4. Esa muchacha me cae muy mal.
(peor ... tú)
(peor ... nadie)

5. Quiero hablar español bien.
(mejor ... mi jefe)
(mejor ... ninguno de los jefes)

6. La Sra. Suki se fijaba mucho en todos los problemas.
(más ... yo)
(más ... nadie)

LECCIÓN XXV
(25º Lección)

PATRONES DEL IDIOMA A

1. No me he desayunado todavía.	*I haven't had breakfast yet.*
2. ¿Cuánto tiempo has trabajado en esa compañía?	*How long have you worked in that company?*
3. ¿Ha estado Ud. en Brasil alguna vez?	*Have you ever been in Brazil?*
4. Enrique nunca ha leído una novela de Balzac.	*Enrique has never read a novel by Balzac.*
5. Leonor siempre me ha caído bien.	*I've always liked Leonor.*
6. A María Eugenia se le ha perdido la bolsa varias veces.	*María Eugenia has lost her purse several times.*
7. Todavía no hemos ido al museo de historia.	*We haven't gone to the historical museum yet.*
8. ¿Cuánto tiempo han vivido Uds. en México?	*How long have you lived in México?*
9. Tus amigos han venido a preguntar por ti tres veces.	*Your friends have asked for you three times.*
10. No hemos podido encontrar las refacciones.	*We haven't been able to find the automobile parts.*
11. Te he estado llamando por teléfono toda la mañana. (He estado llamándote por teléfono toda la mañana.)	*I've been phoning you all morning.*

EJERCICIO I A

Ejemplo a: No me he desayunado todavía. (No nos hemos desayunado ...)
(traducir - la lectura)
No he traducido la lectura todavía. (No hemos traducido la ...)

1. encontrar - ninguna tela bonita
2. terminar - el quehacer
3. cenar
4. pagar - la renta
5. leer - esos cuentos
6. poder - encontrar las refacciones
7. ir - a las ruinas
8. corregir - la composición

Ejemplo b: ¿Cuánto tiempo has trabajado en esa compañía? (¿Cuánto tiempo ha trabajado Ud. en esa compañía?)

(vivir - en Brasil)

¿Cuánto tiempo has vivido en Brasil? (¿Cuánto tiempo ha vivido en Brasil?)

1. practicar - el español
2. jugar - beisbol
3. fumar - esos cigarros
4. estar - en la ciudad
5. ser - agente de seguros
6. perder - en este curso
7. distribuir - esos productos aquí
8. vivir - en México

Ejemplo c: Tu amigo ha venido a preguntar por ti tres veces.
Tus amigos han venido a preguntar por ti tres veces.
(solicitar - empleo en esa fábrica)
Ha solicitado empleo en esa fábrica tres veces.
Han solicitado empleo en esa fábrica tres veces.

1. enojarse - conmigo
2. faltar - a clase
3. me - invitar - a comer
4. merendar - con nosotros
5. caerse - en la escalera
6. tener - que quejarse con el dueño
7. venir - a buscarte
8. me - pedir - dinero prestado

Ejemplo d: ¿Cuánto tiempo han vivido Uds. en México?
(trabajar - en esa compañía)
¿Cuánto tiempo han trabajado en esa compañía?

1. dar - clases de inglés
2. estudiar - en el Instituto
3. esperar - al señor embajador
4. estar - recorriendo el país
5. ser - vendedores
6. creer - eso
7. sentirse - mal
8. recibir - esta revista por correo

EJERCICIO II A

Cambie las oraciones según los ejemplos.

a: Leonor siempre me ha caído bien.
(Leonor y María Eugenia)
Leonor y María Eugenia siempre me han caído bien.

1. La literatura no le ha interesado nunca a David.
(ni el arte ni la literatura)
2. A mis padres siempre les ha gustado el teatro.
(el teatro y la ópera)

3. El Sr. Fuentes siempre nos ha simpatizado.
(el Sr. Fuentes y su esposa)

4. ¿Les ha convenido a Uds. el horario?
(las horas de trabajo)

5. ¿A Ud. nunca le ha dolido una muela?
(las muelas)

6. ¿Te ha servido esa libreta?
(esas libretas)

b: A María Eugenia se le ha perdido la bolsa varias veces.
(A María Eugenia y a Leonor)

A María Eugenia y a Leonor se les ha perdido la bolsa varias veces.

1. A mí no se me ha olvidado nunca traer el libro.
(ni al Sr. Carter ni a mí)

2. A Ud. se le han quemado los pasteles muchas veces, ¿no?
(a Uds.)

3. Todavía no se le ha arreglado el negocio a mi tío.
(a mis tíos)

4. ¿No se te ha ocurrido nada todavía?
(a Uds.)

5. A la cocinera nunca se le han caído los platos.
(a mí)

6. A los vecinos se les ha ido la luz tres veces esta semana.
(a nosotros)

EJERCICIO III A Cambie las oraciones según el ejemplo.

Ejemplo: He estado llamando por teléfono toda la mañana.
(le ... a Ud.)

Le he estado llamando a Ud. por teléfono toda la mañana.
o: He estado llamándole a Ud. por teléfono toda la mañana.

1. No hemos podido conseguir las refacciones.
(les ... a Uds.)

2. El campeón nacional de tenis ha seguido dando clases en el club.
(nos)

3. ¿Por qué no has querido decir nada?
(le ... a tu padrino)

4. Doña Amalia ha estado leyendo cuentos.
(les ... a sus nietos)

5. Los empleados han pensado hacer una fiesta el miércoles.
(le ... a Ud.)

6. El Sr. Orozco ha andado buscando las medicinas por todas partes.
(me)

PATRONES DEL IDIOMA B

1. ¿Nunca has leído el Quijote? — *Haven't you ever read Don Quijote?*

   No, nunca lo he leído. — *No, I've never read it.*
   Sí, lo he leído varias veces. — *Yes, I've read it several times.*

2. ¿Cuánto tiempo ha estado Ud. aquí? — *How long have you been here?*

   He estado aquí mes y medio. — *I've been here a month and a half.*

3. ¿Cuántas veces ha repetido estas oraciones el maestro? — *How many times has the teacher repeated these sentences?*

   Las ha repetido miles de veces. — *He's repeated them thousands of times.*

4. ¿Qué le han parecido a Ud. las conferencias del Sr. Reyes? — *What do you think of Mr. Reyes's lectures?*

   Me han parecido muy interesantes. — *I think they're very interesting.*

5. ¿Han aprendido Uds. algo en este curso? — *Have you learned anything in this course?*

   Sí, hemos aprendido mucho. — *Yes, we've learned a lot.*

6. ¿No han acabado de pintar la casa los pintores? — *Haven't the painters finished the house yet?*

   No, no han acabado todavía. — *No, they haven't finished yet.*
   Sí, ya acabaron. — *Yes, they've already finished.*

7. ¿Ya se bañaron los niños? — *Have the children taken their baths yet?*

   Sí, ya se bañaron. — *Yes, they already have.*
   No, no se han bañado todavía. — *No, they haven't yet.*

EJERCICIO I B

Ejemplo a: ¿Nunca has leído el Quijote?
No, nunca lo he leído. **o:** Sí, lo he leído varias veces.
(bailar - con Laura)
¿Nunca has bailado con Laura?
No, nunca he bailado con ella. **o:** Sí, he bailado con ella varias veces.

1. tomar - café del Brasil
2. cantar - en el teatro
3. almorzar - en aquel restaurante
4. le - ayudar - a tu hermanito con su tarea
5. ser - testigo de una boda
6. traer - a tu perro a la clase
7. reírse - de mí
8. ir - a Río de Janeiro

Ejemplo b: ¿Cuánto tiempo ha estado Ud. aquí?

He estado aquí mes y medio.

(le - deber - Uds. - dinero al banco)
(un año)

¿Cuánto tiempo le han debido Uds. dinero al banco?

Le hemos debido un año.

1. faltar - Ud. - a la clase de piano
una semana
2. andar - Uds. - por aquí
casi dos meses
3. usar - Ud. - anteojos
tres años
4. estar - Uds. - esperando al director
hora y media
5. vender - Ud. - seguros
desde hace once años
6. tener - Uds. - esa máquina de escribir
desde hace seis meses
7. invertir - Ud. - aquí
desde hace mucho tiempo
8. vivir - Uds. - en esta ciudad
desde hace un año

Ejemplo c: ¿Cuántas veces ha repetido estas oraciones el maestro?

Las ha repetido miles de veces.

(explicar - esto)

¿Cuántas veces ha explicado esto el maestro?

Lo ha explicado miles de veces.

1. cambiar - la fecha del examen
2. nos - contar - que quiere vacaciones
3. contestar - estas preguntas
4. dejar - dos lecciones de tarea
5. tener - clase en este salón
6. leer - este libro
7. reírse - de nuestra pronunciación
8. nos - prohibir - hablar inglés

EJERCICIO II B

Ejemplo a: ¿No han acabado de pintar la casa los pintores? — (¿No han acabado de pintar la casa los pintores?)

No, no han acabado todavía. — (Sí, ya acabaron.)

(construir - la carretera - el gobierno)

¿No ha construído la carretera el gobierno? — (¿No ha construído la carretera el gobierno?)

No, no la ha construído todavía. — (Sí, ya la construyó.)

1. aprobar - el presupuesto - el jefe
2. acostarse - sus abuelitos
3. aceptar - el cheque - el banco
4. casarse - Licha y Héctor
5. escoger - el regalo - Bernardo
6. entender - la lección - los alumnos
7. dormirse - su sobrinita
8. oir - este disco - sus amigos

Ejemplo b: ¿Ya se bañaron los niños? — (¿Ya se bañaron los niños?)

Sí, ya se bañaron. — (No, no se han bañado todavía.)

(cumplir - los 18 años - Rosa María)

¿Ya cumplió los dieciocho años Rosa María? — (¿Ya cumplió los dieciocho años Rosa María?)

Sí, ya los cumplió. — (No, no los ha cumplido todavía.)

1. averiguar - la verdad - la policía
2. cruzar - la frontera - los ladrones
3. bajarse - del coche - la Sra. Vega
4. despertarse - tus padres
5. vender - la casa - tus suegros
6. nacer - el niño de Margarita
7. (ellos) exhibir - *Feliz año, amor mío*
8. decidir - la fecha de la ceremonia religiosa - los novios

LECCIÓN XXVI
(26º Lección)

PATRONES DEL IDIOMA A

1. No me he puesto ese traje desde que me casé.	*I haven't worn that suit since I got married.*
2. ¿Por qué no le has escrito a tu familia?	*Why haven't you written to your family?*
3. ¿Todavía no se ha inscrito Ud. en la Universidad?	*Haven't you registered at the university yet?*
4. La sirvienta ya ha roto seis vasos esta semana.	*The maid has already broken six glasses this week.*
5. La Srita. Azcárraga dice que el gerente no ha vuelto de Europa todavía.	*Miss Azcárraga says that the manager hasn't returned from Europe yet.*
6. Mi despertador es muy bueno. Nunca se ha descompuesto.	*My alarm clock is very good. It's never been out of order.*
7. El Banco Nacional ha abierto sucursales en todo el país.	*The National Bank has opened branches throughout the country.*
8. Ha muerto mucha gente en la guerra.	*Many people have been killed in wars.*
9. No hemos visto esa exposición todavía.	*We haven't seen that exhibit yet.*
10. ¿No han devuelto Uds. los libros a la biblioteca?	*Haven't you taken the books back to the library?*
11. Los Ings. Ruiz y Guzmán han resuelto problemas mucho más difíciles que ése.	*Messrs. Ruiz and Guzmán have solved much harder problems than that one.*
12. Yo siempre te he dicho la verdad.	*I've always told you the truth.*
13. ¿Qué has hecho últimamente?	*What have you been doing lately?*

EJERCICIO A

Ejemplo a: No me he puesto ese traje desde que me casé.
(decir - mentiras)
No he dicho mentiras desde que me casé.

1. escribir - cartas de amor
2. romper - ningún plato
3. ver - a Laura
4. volver - al club
5. ponerse - esos zapatos
6. hacer - nada

visto

Ejemplo b: ¿Por qué no le has escrito a tu familia?
(hacer - el quehacer)
¿Por qué no has hecho el quehacer?

1. inscribirse - todavía
2. romper - esas fotografías
3. ver - la exposición
4. le - devolver - la cámara a Leonor
5. abrir - una cuenta de ahorros
6. les - decir - nada a tus amigos

Ejemplo c: ¿Todavía no se ha inscrito Ud. en la Universidad?
¿Todavía no se han inscrito Uds. en la Universidad?
(le - devolver - el paraguas a María Eugenia)
¿Todavía no le ha devuelto el paraguas a María Eugenia?
¿Todavía no le han devuelto el paraguas a María Eugenia?

1. resolver - ese problema
2. ver - la película del Palacio
3. abrir - sus regalos
4. le - poner - gasolina al coche
5. inscribir - a sus hijos
6. hacer - la composición

Ejemplo d: La sirvienta ya ha roto seis vasos esta semana.
(mi despertador sólo - descomponerse - una vez)
Mi despertador sólo se ha descompuesto una vez.

1. la secretaria no les - poner - los timbres a las cartas
2. la papelería de la esquina no - abrir - esta semana
3. mucha gente - morir - en la guerra
4. hacer - mucho calor últimamente
5. aquella silla ya - romperse - tres veces
6. el embajador no - volver - de su viaje todavía

Ejemplo e: No hemos visto esa exposición todavía.
(inscribir - a los niños en el colegio)
No hemos inscrito a los niños en el colegio.

1. le - decir - nada a nadie
2. volver - a ese restaurante
3. resolver - nuestra situación
4. le - devolver - el impermeable a Tere
5. les - escribir - a nuestros padres
6. ponerse - ropa de lana aquí nunca

Ejemplo f: Los Ings. Ruiz y Guzmán han resuelto problemas mucho más difíciles que ése.

(los teléfonos del despacho - descomponerse mucho últimamente)

Los teléfonos del despacho se han descompuesto mucho últimamente.

1. las tiendas del centro nunca - abrir - los domingos
2. este año - inscribirse - aquí miles de estudiantes
3. ya - rompérsenos - muchos discos
4. los maestros nos - decir - muchas veces que hay que estudiar
5. ni Roberto ni Mario me - escribir - últimamente
6. todos los alumnos - hacer - este ejercicio perfectamente

PATRONES DEL IDIOMA B

1. ¿Por qué no le has escrito a Sergio?	*Why haven't you written to Sergio?*
No le he escrito porque he estado muy ocupado.	*I haven't written to him because I've been too busy.*
2. ¿Todavía no le ha devuelto el tocadiscos su primo?	*Hasn't your cousin brought your record player back yet?*
No, no me lo ha devuelto todavía.	*No, he hasn't brought it back yet.*
3. Ha hecho muy buen tiempo últimamente, ¿verdad?	*The weather has been very nice lately, hasn't it?*
Sí, ha hecho muy buen tiempo.	*Yes, it's been very nice.*
4. ¿Cuántas veces se te ha descompuesto tu reloj?	*How many times has your watch been out of order?*
Se me ha descompuesto dos veces.	*It's been out of order twice.*
5. ¿No le han dicho nada al jefe?	*Haven't you said anything to the boss?*
No, no le hemos dicho nada.	*No, we haven't said anything to him.*
6. ¿No has puesto la mesa?	*Haven't you set the table?*
Sí, ya la puse. No, no la he puesto todavía.	*Yes, I have.* *No, I haven't set it yet.*
7. ¿Ya vieron la película del Alameda?	*Have you seen the picture at the Alameda?*
No, no la hemos visto. Sí, ya la vimos.	*No, we haven't seen it.* *Yes, we have.*

EJERCICIO I B

Ejemplo a: ¿Por qué no le has escrito a Sergio?
No le he escrito porque he estado muy ocupado. (ocupada)

(hacer - el viaje)

¿Por qué no has hecho el viaje?
No lo he hecho porque he estado muy ocupado. (ocupada)

1. ver - la exposición
2. poner - la mesa
3. devolver - los libros
4. volver - al Club de Conversación
5. resolver - todos los problemas
6. inscribirse

Ejemplo b: ¿Todavía no le ha devuelto el tocadiscos su primo?
No, no me lo ha devuelto todavía.

(decir - nada - sus suegros)

¿Todavía no le han dicho nada sus suegros?
No, no me han dicho nada todavía.

1. escribir - su amiga
2. resolver - nada - su suegro
3. hacer - el trabajo - sus primos
4. poner - el telegrama - sus tíos
5. devolver - la cámara - sus amigos
6. decir - nada de su viaje - su tía

Ejemplo c: ¿No le han dicho nada al jefe?
No, no le hemos dicho nada.

(abrir - Ud. - los regalos)

¿No ha abierto Ud. los regalos?
No, no los he abierto.

1. ver - Uds. - a la Sra. Barrón
2. romper - Ud. - ningún disco
3. inscribirse - Uds. - todavía
4. escribir - Ud. - el informe
5. hacer - Uds. - la tarea
6. volver - Ud. - a San Francisco

EJERCICIO II B

Ejemplo a: ¿No has puesto la mesa? (¿No has puesto la mesa?)
Sí, ya la puse. (No, no la he puesto todavía.)
(hacer - las camas)
¿No has hecho las camas? (¿No has hecho las camas?)
Sí, ya las hice. (No, no las he hecho todavía.)

1. romper - esas fotografías
2. abrir - la caja de chocolates
3. resolver - tu problema
4. ver - mi traje de baño nuevo
5. escribir - la composición
6. le - decir - al guía si vas a ir o no

Ejemplo b: ¿Ya vieron la película del Alameda? (¿Ya vieron la película del Alameda?)
No, no la hemos visto. (Sí, ya la vimos.)
(poner - el despertador)
¿Ya pusieron el despertador? (¿Ya pusieron el despertador?)
No, no lo hemos puesto. (Sí, ya lo pusimos.)

1. devolver - el dinero
2. inscribir - al niño
3. abrir - la cuenta de ahorros
4. resolver - todos los problemas
5. hacer - los ejercicios
6. le - decir - la verdad - a Isabel

EJERCICIO III

Conteste las preguntas.

1. ¿Cuánto tiempo han estudiado Uds. aquí?
2. ¿Ya se terminó la clase?
3. ¿Has echado de menos a tu familia?
4. ¿Todavía no se le ha acabado el gas a tu encendedor?
5. ¿Nunca ha conocido Ud. a un actor de cine?
6. ¿Cuántas exposiciones ha habido en el Instituto este año?
7. Elsie no se ha despedido de Uds., ¿verdad?
8. ¿No se han ido las secretarias todavía?
9. ¿Cuántas veces se les ha descompuesto a Uds. el televisor?
10. ¿Por qué no te has puesto el traje negro últimamente?
11. Ha hecho muy mal tiempo esta semana, ¿verdad?
12. ¿Nunca ha escrito Ud. una carta en español?

LECCIÓN XXVII

(27ª Lección)

PATRONES DEL IDIOMA A

1. Como yo ya había visto la obra, no fui con los muchachos al teatro. — *Since I'd already seen the play, I didn't go to the theater with the boys.*
2. La Sra. Ortega estaba muy enojada contigo porque no la habías saludado. — *Mrs. Ortega was very angry at you because you hadn't said hello to her.*
3. El guía ya había arreglado el coche cuando terminamos de comer. — *The guide had already fixed the car when we finished eating.*
4. Mi hermano y yo ya nos habíamos recibido cuando vivíamos en Los Ángeles. — *My brother and I had already gotten our degrees when we were living in Los Ángeles.*
5. María me preguntó si Uds. le habían escondido sus guantes. — *María asked me if you'd hidden her gloves.*
6. Don Simón me dijo que los conciertos le habían gustado mucho. — *Don Simón told me he'd enjoyed the concerts very much.*
7. Alicia ya había empezado a arreglarse cuando llegamos a su casa. (Alicia ya se había empezado a arreglar cuando llegamos a su casa.) — *Alicia had already started to get ready when we arrived at her house.*
8. Doña Elena nos contó que Ud. le había seguido mandando flores a su hija. (Doña Elena nos contó que Ud. había seguido mandándole flores a su hija.) — *Doña Elena told us that you'd kept on sending flowers to her daughter.*

EJERCICIO I A

Ejemplo a: Como yo ya había visto la obra, no fui con los muchachos.
(no - terminar - el balance todavía)
Como yo no había terminado el balance todavía, no fui con los muchachos.

1. no - arreglar - mi pasaporte
2. ya - acostarse
3. no - hacer - el quehacer
4. perder - el billete de a veinte
5. no - conseguir - boleto
6. no - pedir - permiso

Ejemplo b: La Sra. Ortega estaba muy enojada contigo porque no la habías saludado.
(le - mentir)
Estaba muy enojada contigo porque le habías mentido.

1. no - llegar - a tiempo
2. no - terminar - de barrer
3. no le - decir - la verdad
4. comerse - todos los chocolates
5. no - cumplir - con tu deber
6. reírse - de ella

Ejemplo c: El guía ya había arreglado el coche cuando terminamos de comer.
(no - venir - todavía)
No había venido todavía cuando terminamos de comer.

1. ya - cambiar - la llanta
2. no - lavar - el coche todavía
3. ya le - poner - gasolina a la camioneta
4. ya - conseguir - las refacciones
5. ya - dormir - un rato
6. no - poder - arreglar el motor todavía

Ejemplo d: Mi hermano y yo ya nos habíamos recibido cuando vivíamos en Los Ángeles.
(cumplir - los dieciocho años)
Ya habíamos cumplido los dieciocho años cuando vivíamos en Los Ángeles.

1. pensar - hacer este viaje
2. trabajar - en varias fábricas
3. cantar - en la televisión
4. aprender - un poco de español
5. ir - a España
6. casarse

Ejemplo e: María me preguntó si Uds. le habían escondido sus guantes.
(Ud. - romper - la lámpara)
Me preguntó si Ud. había roto la lámpara.

1. Uds. le - dejar - recado
2. Ud. - cerrar - la puerta con llave
3. Uds. - abrir - las ventanas
4. Ud. ya - comer
5. Uds.- leer - el Quijote
6. Ud.- divertirse - en la fiesta

Ejemplo f: Don Simón me dijo que los conciertos le habían gustado mucho.
(los poemas ... parecer - muy malos)
Me dijo que los poemas le habían parecido muy malos.

1. los pies ... doler - mucho
2. tus socios ... caer - muy bien
3. las maletas no ... servir
4. las telas ... costar - mucho
5. esos empleados no ... simpatizar
6. los folletos ... interesar - mucho

EJERCICIO II A

Ejemplo: Alicia ya (empezar a arreglarse) cuando llegamos a su casa.
Alicia ya había empezado a arreglarse cuando llegamos a su casa.
o: Alicia ya se había empezado a arreglar cuando llegamos a su casa.

1. Doña Elena nos contó que ella (seguir peinándose) en ese salón de belleza.
2. Mi sobrinito se enojó porque nosotros (estar riéndose) de él.
3. Le expliqué al abogado que tú (andar despidiéndose) de tus amigos.
4. Los Moreno me dijeron que ellos (pensar quedarse) aquí hasta noviembre.
5. Leí que el Gral. Bustamante no (querer irse) de embajador al Canadá.
6. Supe que Uds. (tener que quejarse) con el dueño del edificio.

EJERCICIO III A

Cambie las oraciones según el ejemplo.

Ejemplo:
Doña Elena nos contó que Ud. ***había seguido mandando*** flores.
(le ... a su hija)
Doña Elena nos contó que Ud. le había seguido mandando flores a su hija.
o: Doña Elena nos contó que Ud. había seguido mandándole flores a su hija.

1. Alicia y Carmen ya ***habían empezado a explicar*** la situación.
(nos)
2. La lavandera me dijo que no ***había podido planchar*** toda la ropa.
(te)
3. Le explicamos a Paco que ***habíamos tenido que mandar*** el cheque por correo.
(le)
4. Como ***había seguido faltando*** dinero, el gerente estaba muy enojado.
(me)
5. Me di cuenta de que mis hijos ***habían estado escribiendo*** cartas de amor.
(le ... a la vecina)
6. Varios clientes se quejaron de que los agentes ***habían andado vendiendo*** las muestras.
(les)

1. No había hablado con Ernesto desde que volvió de Francia. (Ayer hablé con él.)	*I hadn't talked with Ernesto since he got back from France.* *(I talked with him yesterday.)*
No había hablado con Ernesto desde hacía mucho tiempo. (Ayer hablé con él.)	*I hadn't talked with Ernesto for a long time.* *(I talked with him yesterday.)*
No había hablado con Ernesto desde el año pasado. (Ayer hablé con él.)	*I hadn't talked with Ernesto since last year.* *(I talked with him yesterday.)*
2. ¿No te habías dado cuenta que ya era muy tarde? (Ya te diste cuenta.)	*Hadn't you realized it was very late?* *(Now you realize it.)*
3. Ud. nunca había nadado en el mar hasta que fue a Acapulco, ¿verdad? (Entonces nadó en el mar por primera vez.)	*You'd never swum in the ocean until you went to Acapulco, had you?* *(You swam in the ocean forthe first time then.)*
Ud. nunca había nadado en el mar antes de ir a Acapulco, ¿verdad? (Entonces nadó en el mar por primera vez.)	*You'd never swum in the ocean before going to Acapulco, had you?* *(You swam in the ocean for the first time then.)*
4. El Sr. Esquivel se había quedado en la oficina porque tenía mucho trabajo. (Por eso no lo encontramos en su casa.)	*Mr. Esquivel had stayed in the office because he had a lot of work to do.* *(That's why we didn't find him at home.)*
5. ¡Nunca habíamos estudiado tanto! (Estamos estudiando mucho.)	*We had never studied so much!* *(We're studying very hard .)*
Nunca habíamos tomado un curso tan difícil. (Este curso está muy difícil.)	*We had never taken a course as difficult as this.* *(This course is very hard.)*
6. Uds. no le habían dicho nada a Jaime todavía, ¿verdad? (Se lo dijeron después.)	*You hadn't told anything to Jaime yet, had you?* *(You told him about it later.)*
7. Mis suegros ya habían hecho las maletas la noche anterior. (Iban a salir al día siguiente muy temprano.)	*My mother-in-law and my father-in-law had already packed the night before.* *(They were leaving very early the next morning.)*

EJERCICIO B

Llene los espacios con la forma correcta del verbo en antecopretérito.

1. No ______________________ a Lidia desde que se recibió.
(yo-ver)
2. Tú no______________________esa canción desde hacía mucho tiempo, ¿verdad?
(oir)
3. Ud. no ______________________ ese sombrero desde el día del banquete.
(ponerse)
4. Rodolfo no______________________a las reuniones desde que se murió su abuelita.
(ir)
5. La Sra. Gallardo no______________________tan bien desde hacía mucho tiempo.
(sentirse)
6. No ______________________ los muebles desde la semana pasada.
(nosotros-sacudir)
7. Ni el profesor ni Ud. ______________________ que David y yo éramos hermanos.
(fijarse)
8. Leonor no______________________ cuenta de que se le había roto la media.
(darse)
9. Algunos de nuestros compañeros nunca ______________________español hasta que
(estudiar)
se inscribieron en el Instituto.
10. A mí nunca me ______________________ los idiomas antes de venir aquí.
(interesar)
11. Yo nunca ______________________ en un río hasta que fui de excursión con Uds.
(nadar)
12. Tú nunca ______________________ los platos antes de casarte, ¿verdad?
(lavar)
13. Ud.______________________que quedarse allí porque no había taxis, ¿no?
(tener)
14. El Sr. Sánchez ______________________ de vacaciones a Veracruz porque sus
(salir)
hijos querían conocer el mar.
15. ¡Nunca ______________________ tanto!
(nosotros-caminar)
16. Yo nunca ______________________ tanto en tan poco tiempo.
(aprender)
17. Nosotros nunca ______________________ gente tan amable.
(conocer)

18. Uds. nunca ________________ alumnos de un maestro tan severo,
(ser)
¿verdad?

19. ¿No le ________________ a tu esposo todavía?
(escribir-tú)

20. El perrito no ________________ todavía.
(morirse)

21. Las inscripciones ________________ el día anterior.
(terminarse)

22. Uds. ya ________________ el telegrama la noche anterior, ¿no?
(poner)

23. Nunca le ________________ al jardinero.
(yo-entender)

24. Se nos ________________ que mañana tenemos examen.
(olvidar)

LECCIÓN XXVIII
(28ª Lección)

PATRONES DEL IDIOMA A

1. El coche de Jorge es tan chico como el de Arturo.	*Jorge's car is as small as Arturo's.*
2. Mis tías estaban tan enojadas como mis tíos.	*My aunts were as angry as my uncles.*
3. Yo tomé tanta limonada como tú.	*I drank as much lemonade as you did.*
4. Ofelia ha recibido tantos regalos como María Elena.	*Ofelia has gotten as many presents as María Elena.*
5. Ninguno de nosotros puede hablar tan aprisa como el maestro.	*None of us can speak as fast as the teacher.*
6. Me dijeron que Ud. había llegado tan tarde como el Sr. Aguilar.	*They told me that you had arrived as late as Mr. Aguilar.*
7. Nunca nos habíamos divertido tanto como ahora.	*We've never had as much fun as we're having now.*
8. Las secretarias estuvieron trabajando tanto como nosotros.	*The secretaries worked as much as we did.*

EJERCICIO I A

Ejemplo a: Esa exposición me pareció ***muy buena.*** La anterior también.
Esa exposición me pareció tan buena como la anterior.

1. Las camisas estaban ***sucias.*** Las blusas también.
2. Los impermeables son ***muy útiles.*** Los paraguas también.
3. Ese cuadro me parece ***muy feo.*** El otro también.
4. Aquel letrero está ***muy grande.*** Éste también.
5. La Srita. Azcárraga es ***bajita.*** La Srita. Barrón también.
6. Los vidrios de esa ventana están ***limpios.*** Los de aquélla también.

Ejemplo b: El periódico dice que va a hacer ***calor*** en Los Ángeles. En Nueva York también.

El periódico dice que va a hacer tanto calor en Los Ángeles como en Nueva York.

1. El subgerente firmaba ***muchos papeles.*** El gerente también.
2. Esta semana yo he cocinado ***tres veces.*** Tú también.
3. El Ing. Mateos nos ha comprado ***mucha madera.*** El Ing. Cervantes también.

4. Le hemos prestado ***muchas novelas*** a Enrique. Uds. también.
5. Me han presentado a ***muchas muchachas.*** A ti también.
6. Uds. van a perder ***dinero*** en ese negocio. Los otros socios también.

Ejemplo c: Yo siempre me he levantado ***temprano.*** Mi esposa también.

Yo siempre me he levantado tan temprano como mi esposa.

1. El jardinero escribe ***muy despacio.*** El chofer también.
2. La Srita. Miranda te va a caer ***bien.*** La Srita. Ortega también.
3. Antes, el timbre de este teléfono sonaba ***muy fuerte.*** El de aquél también.
4. Mi suegro maneja ***muy mal.*** Mi suegra también.
5. Últimamente has comido ***muy poco.*** Tu hermano también.
6. María Eugenia ha visitado a la Sra. González ***muy seguido.*** Leonor también.

Ejemplo d: El guía les va a simpatizar ***mucho.*** El empleado de la agencia de viajes también.

El guía les va a simpatizar tanto como el empleado de la agencia de viajes.

1. El contador se va a tardar ***mucho.*** La secretaria también.
2. Los niños caminaron ***mucho*** en el bosque. Nosotros también.
3. Guillermo siempre se divierte ***mucho*** en las fiestas. Ricardo también.
4. Vamos a descansar ***mucho*** después del examen. Los profesores también.
5. Yo sé que este artículo te va a interesar ***mucho.*** Al director también.
6. Ese año había llovido ***mucho.*** El año anterior también.

EJERCICIO II

Llene los espacios con la forma correcta del verbo en pretérito.

1. ____________ toda la tarde. ____________ conociendo la ciudad.
   (nosotros-caminar) (andar)
2. Ayer no ____________ Licha. ____________ yo.
   (cocinar) (cocinar)
3. ¿Tú ____________ el horno? No, no lo ____________ yo.
   (apagar) (apagar)
4. El Sr. Baena nunca le ____________ nada a nadie.
   (deber)
5. El otro día ____________ a Don Emilio y a su hija. Me ____________ muy bien.
   (conocer) (caer)

6. ¿No ______________________ a Uds. ninguna idea?
(ocurrírseles)

7. Los agentes ya ________________ todas las muestras.
(distribuir)

8. Ud. iba a invitarnos a todos a cenar. ¿Ya ______________?
(arrepentirse)

9. ¿Por qué ____________________ Uds. tan fuerte?
(reírse)

10. ¿______________ todos Uds. en ese cochecito? Sí, ________________ todos.
(caber) (caber)

11. ¡Ya ______________ este despertador otra vez!
(descomponerse)

12. Chaplin y sus socios ________________ algunas películas muy buenas.
(producir)

EJERCICIO III

Ejemplo: David (andar) muy triste, pero ahora (andar) muy contento.

David andaba muy triste, pero ahora anda muy contento.

1. Antes, mi esposa (decidir) si íbamos a una fiesta o no. Ahora eso lo (decidir) yo.
2. En los Estados Unidos no (nosotros-practicar) el español casi nada. Ahora lo (practicar) todos los días.
3. Hace unos años yo (ver) la televisión todas las noches, pero ahora sólo la (ver) de vez en cuando.
4. En mis tiempos, la gente elegante (casarse) en la catedral. Ahora (casarse) en la Iglesia de Santa Teresa.
5. Antes, (caérsele) mucho el pelo al Sr. Orozco, pero desde que empezó a usar esa medicina, ya casi no (caérsele).
6. Hace dos años, las empleadas (entrar) a las ocho. Ahora (entrar) más tarde.
7. El año pasado Ud. (aprobar) los presupuestos. ¿Quién los (aprobar) ahora?
8. Antes, (yo-encontrarse) a Bernardo en el restaurante muy seguido. Ahora ya nunca (encontrárselo).
9. ¿Por qué antes el maestro nos (preguntar) muy pocas veces a ti y a mí y ahora nos (preguntar) tan seguido?
10. Hace un año, esa tienda no (aceptar) ningún cheque, pero ahora sí (aceptar).
11. Antes, le (tú-llamar) a la Srita. Moreno todos los días. ¿Por qué ya no le (llamar)?
12. Cuando éramos niños, (ir) al circo muy seguido. Ahora casi nunca (ir).

EJERCICIO IV

Conteste las preguntas.

Ejemplo a: ¿Cuánto tiempo hace que vino el agente de seguros?
Vino hace quince días.
o: Hace quince días que vino.

Ejemplo b: ¿Cuánto tiempo hace que no viene el agente de seguros?
No viene desde hace quince días.
o: Hace quince días que no viene.

1. ¿Cuánto tiempo hace que tuviste vacaciones?
2. ¿Cuánto tiempo hace que no tienes vacaciones?
3. ¿Cuándo le compraste llantas al coche?
4. ¿Desde cuándo no le compras llantas al coche?
5. ¿A qué horas habló Mario?
6. ¿Desde a qué horas no habla Mario?
7. ¿Cuánto tiempo hace que puso jabón en el baño la sirvienta?
8. ¿Cuánto tiempo hace que no pone jabón en el baño la sirvienta?
9. ¿Cuándo distribuyeron las muestras las sucursales?
10. ¿Desde cuándo no distribuyen las muestras las sucursales?
11. ¿A qué horas le diste la medicina a la niña?
12. ¿Desde a qué horas no le das la medicina a la niña?

EJERCICIO V

Conteste las preguntas.

Ejemplo a: ¿A qué horas se durmió mamá?
Hace media hora que se durmió.
o: Se durmió hace media hora.

Ejemplo b: ¿Desde a qué horas está dormida mamá?
Hace media hora que está dormida.
o: Está dormida desde hace media hora.

1. ¿Cuándo te presentaron a la Srita. Fuentes?
2. ¿Desde cuándo eres amigo de la Srita. Fuentes?
3. ¿Cuánto tiempo hace que conseguiste ese empleo?
4. ¿Cuánto tiempo hace que trabajas allí?

5. ¿A qué horas recibieron Uds. el telegrama?
6. ¿Desde a qué horas saben Uds. la noticia?
7. ¿Cuándo empezó a jugar futbol César?
8. ¿Desde cuándo juega futbol César?
9. ¿Cuánto tiempo hace que Ud. conoció al señor embajador?
10. ¿Cuánto tiempo hace que Ud. conoce al señor embajador?
11. ¿A qué horas llegaron Uds.?
12. ¿Desde a qué horas están Uds. aquí?

EJERCICIO VI

Ejemplo: Al Sr. Pérez se le ocurren muy buenas ideas.
(a mí nunca ... nada)
A mí nunca se me ocurre nada.

1. A Daniel nunca se le ha descompuesto su cámara.
(a nosotros ... ni el tocadiscos ni el televisor)
2. Ya se me están arreglando todos mis problemas.
(a los Rivera ... el negocio)
3. A la cocinera se le echó a perder la carne porque no la puso en el refrigerador.
(a nosotros ... las verduras ...)
4. Ya se le va a terminar el gas al encendedor.
(ya ... los boletos para el baile a las socias del club)
5. Siempre se te ha quitado el dolor de estómago con esa medicina, ¿verdad?
(a Ud. ... los dolores de cabeza ...)
6. A Ud. ya se le había quemado el pescado en el horno cuando yo llegué.
(a Uds. ... los pasteles ...)
7. A los vecinos siempre se les enfriaba mucho la casa en invierno.
(a mí ... las manos y los pies ...)
8. Niño, los gatos se te van a morir si no les das de comer.
(niños, el perrito ...)
9. Me dijeron que a la Sra. Cárdenas se le habían perdido sus aretes en el mar.
(... a las hijas del Sr. Cárdenas ... la pelota ...)
10. A esa sucursal ya se le están acabando las muestras.
(a todas las sucursales ... el papel para cartas)
11. Se me cayó el despertador hoy en la mañana.
(a la Srita. Guerrero ... los libros cuando se bajó del camión)
12. A los alumnos siempre se les olvida traer la tarea.
(a ese estudiante ... los verbos irregulares)

LECCIÓN XXIX

(29º Lección)

REPASO - *Review*

EJERCICIO I

Llene los espacios con la forma correcta del verbo en pretérito o copretérito.

El sábado en la noche, ________ (yo-ir) a casa de Rosa María para llevarle un regalo porque ________ (ser) día de su cumpleaños. Cuando ________ (yo - llegar), ya ________ (haber) allí muchas otras personas. Después de saludar a todos, ________ (yo-preguntar) por Rosa María y me ________ (ellos - decir) que ________ (ella - estar) en la cocina. La ________ (yo - encontrar) preparando unas copas y le ________ (yo - ayudar) a servirlas. Mientras Rosa María y yo ________ (servir) las copas, alguien ________ (poner) un disco muy bonito y todos ________ (empezar) a bailar. Luego, la mamá de Rosa María nos ________ (decir) que si ya ________ (nosotros-querer) cenar, ________ (nosotros-poder) pasar al comedor porque la cena ya ________ (estar) lista. Después ________ (nosotros-volver) a la sala y ________ (nosotros-estar) cantando y bailando hasta las doce de la noche. A esa hora, algunos invitados ________ (despedirse) y ________ (irse), pero nosotros ________ (quedarse) otro rato porque no ________ (tener) que trabajar al día siguiente. Ya ________ (ser) las dos de la mañana cuando ________ (terminarse) la fiesta.

EJERCICIO II

Llene los espacios con la forma correcta del verbo en antepresente.

1. ¿Por qué no ______________ la leche?
   (tú-tomarse)
2. David ______________ un poco de fiebre todo el día.
   (tener)
3. ______________ mucha gente en la guerra.
   (morir)
4. Nosotros siempre ______________ cerca de la puerta.
   (sentarse)
5. Los agentes todavía no ______________ todas las sucursales este mes.
   (recorrer)
6. ¿Todavía no ______________ Uds. en el siguiente curso?
   (inscribirse)
7. Las muchachas no ______________ todavía.
   (peinarse)
8. ¿Nunca ______________ Ud. de negro?
   (vestirse)
9. ______________ muy buen tiempo últimamente.
   (hacer)
10. ______________ esa casa desde hace mucho tiempo.
    (nosotros-rentar)
11. Mi abuelita siempre ______________ chocolate en el desayuno.
    (servir)
12. Yo no ______________ esa exposición. ¿Tú ya la viste?
    (ver)

EJERCICIO III

Conteste las preguntas.

1. ¿No has vendido tu camioneta todavía?
2. ¿Ya volvieron de Río de Janeiro tus amigos?
3. ¿Todavía no se han desayunado Uds.?
4. ¿Ya le devolviste la cámara a tu primo?
5. ¿No les ha dicho sus calificaciones el director?
6. ¿Ya sonó el timbre de salida?
7. ¿No ha oído Ud. el último disco de César Guzmán?
8. ¿Ya barrieron aquel salón los mozos?

9. ¿Ya se terminó esta clase?
10. ¿No ha resuelto Ud. todavía todos los ejercicios de esta lección?
11. ¿Ya merendaron Uds.?
12. ¿No ha corregido los exámenes el maestro?

EJERCICIO IV

Llene los espacios con la forma correcta del verbo en antecopretérito.

1. La clase siempre ______________ a la hora en punto, pero hoy empezó diez
   (empezar)
   minutos tarde.
2. El chofer dijo que algunas maletas no ______________ en el coche.
   (caber)
3. La sirvienta ya ______________ toda la vajilla. Por eso compramos otra.
   (romper)
4. Yo nunca ______________ a los niños antes. ¡Qué problema tan grande es!
   (acostar)
5. Nosotros nunca ______________ tortillas. ¡Qué sabrosas son!
   (comer)
6. Todavía no ______________ las cartas en el buzón ayer en la tarde, ¿verdad?
   (tú - poner)
7. Mis hijas siempre ______________ antes que yo, pero hoy yo me desperté
   (despertarse)
   primero.
8. A nosotros nunca ______________ la luz. Anoche se nos fue dos veces.
   (írsenos)
9. La peluquería nunca ______________ tan temprano como hoy.
   (abrir)
10. No ______________ al perro esta semana, pero ayer lo bañé.
    (yo - bañar)
11. María Eugenia no ______________ al autobús todavía cuando la llamé.
    (subirse)
12. La Srita. Orozco nos dijo que no ______________ el informe todavía, pero
    (escribir)
    que ya lo iba a escribir.

EJERCICIO V **Complete las oraciones, según los ejemplos.**

a: Íbamos a devolver unos libros a la biblioteca ayer,
pero ______________________________

. . . no tuvimos tiempo.
. . . estaba cerrada.
. . . todavía los necesitamos.

b: Iba a despedirme de mis compañeros mañana,
pero ______________________________

. . . . decidí despedirme de ellos hoy.
. . . no sé sus direcciones.
. . . voy a salir en el avión de hoy.

1. El Sr. Esquivel y su esposa iban a ir al centro a pie ayer, pero ______________
____

2. Héctor iba a abrir las cervezas cuando llegó, pero ______________
____

3. La Srita. Reyes iba a escribir las cartas a mano el otro día, pero ______________
____

4. Iba a lavarme los dientes después de desayunarme, pero ______________
____

5. Arturo y Alfonso iban a almorzar conmigo el miércoles pasado, pero ______________
____

6. Amalia iba a encender el horno hoy en la mañana, pero ______________
____

7. Íbamos a tomar el tercer curso el mes que entra, pero ______________
____

8. El partido iba a ser a las diez, pero ______________
____

9. Mis cuñados iban a pedirle dinero prestado a Don Ernesto hoy en la tarde,
pero ____

10. Íbamos a solicitar empleo aquí la semana que entra, pero ______________
____

11. Iba a llevar a mis sobrinos al circo pasado mañana, pero ______________
____

12. Mis primas iban a llamarte antier, pero ______________
____

EJERCICIO VI

Cambie las oraciones según el ejemplo.

Ejemplo: Lo ***buscamos*** a Ud. por todas partes ayer en la tarde.
(estar) (andar) (seguir)

Lo estuvimos buscando a Ud. por todas partes ayer en la tarde.
Lo anduvimos buscando a Ud. por todas partes ayer en la tarde.
Lo seguimos buscando a Ud. por todas partes ayer en la tarde.

1. ¿Por qué le ***pegaste*** a tu hermanito?
(estar) (andar) (seguir)
2. Mis padrinos me dijeron que ***se habían quedado*** en una casa de huéspedes.
(estar) (seguir)
3. La Sra. Bustamante ***pensaba*** hacer un viaje a Londres el año pasado.
(estar) (andar)
4. La cocinera ***se tarda*** mucho en el mercado.
(estar) (seguir)
5. Nosotros ***traemos*** nuestros cuadernos a clase todos los días.
(estar) (seguir)
6. ***He visto*** varias obras de teatro en español.
(estar) (seguir)
7. Uds. ***se iban*** de día de campo casi todos los domingos, ¿verdad?
(estar) (seguir)
8. A los actores ***se les ocurrieron*** ideas muy buenas para el programa.
(estar) (seguir)
9. Rodolfo me contó que Ud. ***se había reído*** de él. ¿Es cierto?
(estar) (andar) (seguir)
10. ***He dormido*** muy bien últimamente.
(estar) (seguir)
11. Tú tienes que ***conseguir*** los permisos de importación porque yo no tengo tiempo.
(estar) (andar) (conseguir)
12. El Sr. Mateos ***dice*** que Uds. le deben quinientos dólares.
(estar) (andar) (seguir)

EJERCICIO VII **Conteste las preguntas con dos oraciones.**

1. ¿Compra Ud. el periódico entre semana?
2. ¿No faltó nadie a clase antier?
3. ¿Qué estabas haciendo ayer cuando te llamé?
4. ¿Está lloviendo?

5. ¿Por qué no han ido Uds. a las juntas del club este mes?
6. ¿No tomaste ninguna fotografía el martes pasado?
7. El doctor le dijo a Juan José que tenía que hacer un poco de ejercicio, ¿no?
8. ¿Le parece a Ud. muy difícil este curso?
9. ¿A quién se le perdió el pasaporte?
10. ¿No le has dado las gracias a tu tía por el regalo?
11. ¿No se fijaron Uds. si había cola en el cine cuando pasaron por allí?
12. ¿Cómo le hablan Uds. al jardinero, de tú o de Ud.?
13. ¿Nunca había estudiado Ud. español antes de inscribirse en el Instituto?
14. ¿Cuál suéter piensas comprar, el amarillo o el blanco?
15. ¿Todavía no te ha pagado el Sr. Azcárraga?
16. ¿De quién son aquellos cigarros?
17. Me dijeron que Ud. había llegado tarde a clase varias veces. ¿Es cierto?
18. Leonor no sabía cocinar cuando se casó, ¿verdad?
19. ¿Qué vas a hacer mañana?
20. ¿No han leído Uds. el Quijote?
21. ¿Qué películas te gustan más, las de vaqueros, las de misterio, o cuáles?
22. ¿A quién se parece Ud., a su papá o a su mamá?
23. ¿Ya había salido el tren cuando Uds. llegaron a la estación?
24. ¿A qué hora va a empezar el examen?

APPENDIX I

LECCIÓN III

1. *Regular verbs in the preterit* (pretérito) *ending in* **-ar** *in the infinitive have the following forms:*

HABL**AR**

habl**é**
habl**aste**
habl**ó**
habl**amos**
habl**aron**

2. *Regular verbs in the preterit* (pretérito) *ending in* **-er** *and* **-ir** *in the infinitive have the following forms:*

COM**ER**	RECIB**IR**
com**í**	recib**í**
com**iste**	recib**iste**
com**ió**	recib**ió**
com**imos**	recib**imos**
com**ieron**	recib**ieron**

3. *The preterit is used to denote:*

a. *A single action, completed in the past.*

Hablé con el subgerente ayer. *I talked to the assistant manager yesterday.*

See PATRONES DEL IDIOMA A.

b. *A repetition of a single action, completed in the past.*

Esa agencia vendió quinientos automóviles el año pasado. *That dealer sold five hundred cars last year.*

See PATRONES DEL IDIOMA B, *sentences* 1, 2, *and* 3.

c. *A prolonged action, completed in the past.*

¿Estudiaste toda la mañana el sábado? *Did you study all morning last Saturday?*

See PATRONES DEL IDIOMA B, *sentences* 4, 5 *and* 6.

LECCIÓN IV

1. **-ar** *and* **-er** *verbs with a change in the last vowel of the stem in the present tense are* **regular** *in the preterit. Examples:*

	Present		*Preterit*	
acostar	acuesto,	acuestas, *etc.*	acosté,	acostaste, *etc.*
cerrar	cierro,	cierras, *etc.*	cerré,	cerraste, *etc.*
devolver	devuelvo,	devuelves, *etc.*	devolví,	devolviste, *etc.*
entender	entiendo,	entiendes, *etc.*	entendí,	entendiste, *etc.*
etc.				

See PATRONES DEL IDIOMA A.

2. *Certain verbs that are irregular in the first person singular in the present tense are* **regular** *in the preterit. Examples:*

	Present		*Preterit*	
conocer	conozco,	conoces, *etc.*	conocí,	conociste, *etc.*
salir	salgo,	sales, *etc.*	salí,	saliste, *etc.*
ver	veo,	ves, *etc.*	vi,	viste, *etc.*
etc.				

See PATRONES DEL IDIOMA B.

Note: *The verb* **dar** *(to give) is irregular in the preterit. It takes the endings of* **-er** *and* **-ir** *verbs.*

LECCIÓN V

1. *Spelling changes are necessary in some verb forms in order to retain the original sound of the stem.*

See PATRONES DEL IDIOMA A.

Note: *Verb forms with spelling changes are listed in* ***APPENDIX II.***

2. **-ir** *verbs with a change in the last vowel of the stem in the present tense are irregular in the third person, singular and plural, in the preterit. Vowel* **o** *changes to* **u** *and vowel* **e** *changes to* **i**.
Examples:

DORMIR		PEDIR		SENTIRSE	
Present	*Preterit*	*Present*	*Preterit*	*Present*	*Preterit*
duermo	dormí	pido	pedí	me siento	me sentí
duermes	dormiste	pides	pediste	te sientes	te sentiste
duerme	durmió	pide	pidió	se siente	se sintió
dormimos	dormimos	pedimos	pedimos	nos sentimos	nos sentimos
duermen	durmieron	piden	pidieron	se sienten	se sintieron

See PATRONES DEL IDIOMA B.

Note: *Irregular verbs in the preterit, used in this book, are listed in* ***APPENDIX II.***

LECCIÓN VI

1. *Certain verbs are irregular in both stem and endings in the preterit. Examples:*

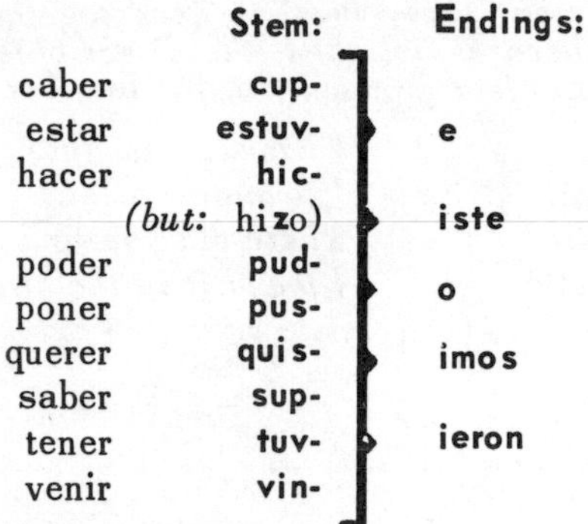

	Stem:	Endings:
caber	cup-	
estar	estuv-	e
hacer	hic-	
	(but: hizo)	iste
poder	pud-	
poner	pus-	o
querer	quis-	imos
saber	sup-	
tener	tuv-	ieron
venir	vin-	

Note: *The* **e** *and* **o** *endings are not stressed as in regular verbs.*

See PATRONES DEL IDIOMA A.

2. *The* **i** *in the third person plural ending* **-ieron** *is dropped when the irregular stem ends in* **j**.

traer	traj-	e
decir	dij-	iste
traducir	traduj-	o
producir	produj-	imos
		eron

See PATRONES DEL IDIOMA B, *sentences* 1 *to* 8.

3. *The impersonal form of the verb* **haber** *in the preterit is* **hubo.**

No hubo clase ayer.	*There was no class yesterday.*
No hubo clases la semana pasada.	*There were no classes last week.*

See PATRONES DEL IDIOMA B, *sentences* 9 *and* 10.

4. *The verbs* **ser** *and* **ir** *are irregular in the preterit. Their forms are identical. Context differentiates meaning.*

SER	IR(SE)*
fui	**(me) fui**
fuiste	**(te) fuiste**
fue	**(se) fue**
fuimos	**(nos) fuimos**
fueron	**(se) fueron**

Remember that* **ir *means* **to go** *and* **irse** *means* **to go away, leave.**

See PATRONES DEL IDIOMA C.

LECCIÓN VII

*When the direct object of a verb is a thing you are identifying for the first time, an indefinite article (***un, una, unos, unas***) is used together with the name of the thing. Once identity has been established, the direct object is considered determined; therefore, a direct object pronoun (***lo, la, los, las***) is used to refer to it.*

¿Qué te encontraste?	*What did you find?*
Me encontré **una** cartera.	*I found* **a** *wallet.*
¿Dónde te **la** encontraste?	*Where did you find* **it**?
Me **la** encontré en la calle.	*I found* **it** *in the street.*

See PATRONES DEL IDIOMA B.

LECCIÓN IX

1. *The following forms are used to express the time elapsed since something happened:*

a.

HACE	*(length of time)*	**QUE**	*(preterit)*
Hace	seis meses	que	fui a Acapulco.

I went to Acapulco six months ago.

b.

(preterit)	**HACE**	*(length of time)*
Fui a Acapulco	hace	seis meses.

I went to Acapulco six months ago.

See PATRONES DEL IDIOMA A, *sentences* 1, 3, *and* 5.

2. *The following forms are used to express that something has not happened for a certain period of time:*

a.

HACE	*(length of time)*	**QUE**	**NO** *(present)*
Hace	seis meses	que	no voy a Acapulco.

I haven't been to Acapulco for six months.

b.

NO *(present)*	**DESDE HACE**	*(length of time)*
No voy a Acapulco	desde hace	seis meses.

I haven't been to Acapulco for six months.

See PATRONES DEL IDIOMA A, *sentences* 2, 4, *and* 6.

3. *The following forms are used to express that something has been going on for a certain period of time:*

a.

HACE	*(length of time)*	**QUE**	*(present)*
Hace	una hora	que	estoy aquí.

I've been here for an hour.

b.

(present)	**DESDE HACE**	*(length of time)*
Estoy aquí	desde hace	una hora.

I've been here for an hour.

See PATRONES DEL IDIOMA B, *sentences* 2, 4, *and* 6.

LECCIÓN X

1. *The reflexive pronoun* **se** *can be used with the third person, singular or plural, of a verb to indicate that an unplanned action occurs, regardless of who or what carries it out.*

Se enfría la sopa.	*The soup is getting cold. (It happens.)*

2. *An indirect object pronoun (***me, te, le, nos, les***) may be added to sentences like the one mentioned above to indicate the person or thing involved in the action.*

Se **me** enfría la sopa.	*My soup is getting cold. (It happens to me.)*

3. *The preposition* **a** *plus an object of a preposition pronoun (***mí, ti, Ud., él, ella, nosotros, nosotras, Uds., ellos, ellas***) or a noun are sometimes used to clarify or emphasize the indirect object.*

A Uds. se les enfría la sopa.	*Your soup is getting cold.*
Al encendedor se le acabó el gas.	*The lighter is out of gas.*

See PATRONES DEL IDIOMA A.

LECCIÓN XI

1. *Regular verbs in the imperfect tense (*copretérito*) ending in* **-ar** *in the infinitive have the following forms:*

HABLAR
habl**aba**
habl**abas**
habl**aba**
habl**ábamos**
habl**aban**

2. *Regular verbs in the imperfect tense (*copretérito*) ending in* **-er** *and* **-ir** *in the infinitive have the following forms:*

ENTEND**ER**	VIV**IR**
entend**ía**	viv**ía**
entend**ías**	viv**ías**
entend**ía**	viv**ía**
entend**íamos**	viv**íamos**
entend**ían**	viv**ían**

3. *There are only three irregular verbs in the imperfect tense (*copretérito*):*

SER	IR	VER
era	iba	veía
eras	ibas	veías
era	iba	veía
éramos	íbamos	veíamos
eran	iba	veían

tenía

4. *The imperfect tense (*copretérito*) is used to denote:*

a. *That at a certain moment in the past, an action or situation was going on, with no end of the action or situation implied. Verbs that express state of being or continuous action are usually expressed in this tense.*

Antes, yo no **hablaba** español pero lo **entendía** un poco porque **vivía** cerca de la frontera mexicana.	*I didn't use to speak Spanish but I could understand it a little because I lived near the Mexican border.*

See PATRONES DEL IDIOMA A.

b. *That at a certain moment in the past, a habitual repetition of an action was going on, with no definite end implied. Verbs that express momentary action are usually stated in this tense when they indicate custom.*

Antes de recibirme, **me iba** al club a las siete todos los días. **Nadaba** un rato y **hacía** un poco de ejercicio en el gimnasio. A las ocho, **salía** para la escuela.	*Before I graduated, I used to go to the club at seven o'clock every morning. I would swim for a while and do a few exercises in the gym. At eight o'clock, I would go to school.*

See PATRONES DEL IDIOMA B.

LECCIÓN XIII

1. **Aquel, aquella, aquellos, aquellas,** *are demonstrative adjectives. Their meaning is very close to the meaning of* **ese, esa, esos, esas,** *but they suggest greater distance.*

Esta casa es mía.	*This house is mine.*
Esa casa es del Sr. Aguilar.	*That house is Mr. Aguilar's.*
Aquella casa es del Sr. Mateos.	*That house (farther away than Mr. Aguilar's) is Mr. Mateos's.*

2. *A reflexive pronoun (***me, te, se, nos***) is sometimes used with non-reflexive verbs to emphasize the benefit, effort, interest, etc., of the person in the action he is doing.*

Primero tomábamos una copa y después cenábamos.	*First, we'd have a drink and then we'd have supper.*
Primero nos tomábamos una copa y después cenábamos.	*(Same meaning, but there is more emphasis in the participation of the persons in the action they are doing.)*

See PATRONES DEL IDIOMA B.

LECCIÓN XIV

1. a. *When the object of a preposition pronouns* **mí** *and* **ti** *are used after the preposition* **con,** *they become* **conmigo, contigo.**

   See PATRONES DEL IDIOMA A, *sentence* 6.

   b. *When the preposition* **de** *introduces the possessor, it may be followed by an object of a preposition pronoun, except* **mí** *and* **ti.** *The possessives* **mío, -a, -os, -as,** *and* **tuyo, -a, -os, -as** *are used in this case.*

   See PATRONES DEL IDIOMA A, *sentence* 7.

   c. *When the preposition* **a** + *object of a preposition pronoun is used to clarify the direct object of a verb, the corresponding direct object pronoun (***me. te, lo, la, nos, los** *or* **las***) is also used. This is not redundancy in Spanish.*

   See PATRONES DEL IDIOMA A, *sentence* 8.

2. *When referring to a noun already mentioned or known, a definite article + possessive form, or a definite article + adjective form may be used, omitting the modified noun.*

Puse el **suéter amarillo** en la cómoda y mandé **el café** a la tintorería. (**el café** = el suéter café)	*I put* ***the yellow sweater*** *in the chest of drawers and I sent* ***the brown one*** *to the cleaner's.* *(****the brown one*** *= the brown sweater)*

   See PATRONES DEL IDIOMA B.

LECCION XV

1. *When verbs that convey information (***decir, creer, contar, etc.***) are used in the preterit (*pretérito*) and are followed by* **que** + *another verb, or* **si** + *another verb, the second verb is expressed in the imperfect (*copretérito*) to indicate that both actions or situations were co-existent.*

   See PATRONES DEL IDIOMA A.

2. *When the above verbs are used in the imperfect (*copretérito*) the verb after* **que** *or* **si** *is also expressed in the imperfect to indicate that both actions or situations were co-existent.*

   See EJERCICIO II A.

3. *When indicating that an action was completed at a certain time in the past while another action or situation was still going on, the preterit (*pretérito*) is used for the completed action and the imperfect (*copretérito*) for the background action or situation still going on at that time.*

   See PATRONES DEL IDIOMA B.

LECCIÓN XVI

*Notice that the preterit (*pretérito*), besides being used to indicate that an action was completed in the past, is sometimes used to express that a situation or state of being came into existence. This is the case with verbs like* **entender, conocer, etc.**

See PATRONES DEL IDIOMA A, *sentences* 1, 2 *and* 3.

LECCIÓN XVII

The verb phrase **ir + a +** *infinitive in the imperfect (*copretérito*), followed by* **pero** *expresses:*

a. *That an action that was to be carried out in the past did not occur. The reason for this may be stated in the preterit (*pretérito*), in the imperfect (*copretérito*), or in the present (*presente*).*

See PATRONES DEL IDIOMA A.

b. *That an action that was to be carried out in the future will not occur. The reason for this may be stated in the preterit, in the present or with the present of the phrase* **ir + a +** *infinitive (i.e., future).*

See PATRONES DEL IDIOMA B.

LECCIÓN XVIII

1. *Verbs that do not take a direct object, and verbs with no direct object stated, sometimes take an indirect object to indicate who receives the action of the verb.*

(Esa muchacha sonrió.)	*(That girl smiled.)*
Esa muchacha **te** sonrió.	*That girl smiled at you.*
(Antes escribía muchas cartas.)	*(I used to write a lot of letters.)*
Antes **le** escribía **a mi familia** muy seguido.	*I used to write to my family very often.*

See PATRONES DEL IDIOMA A.

2. *The reflexive pronouns* **nos** *and* **se** *are used to indicate that two persons perform an action and are mutually affected by it.*

Francisco y yo **nos conocimos** hace un año.	*Francisco and I met a year ago.*
¿Cuándo **se conocieron** Ud. y Francisco?	*When did you and Francisco meet each other?*
Francisco y Marta **se conocieron** hace un año.	*Francisco and Marta met a year ago.*

See PATRONES DEL IDIOMA B.

LECCIÓN XIX

*Negative words (***nunca, ni, ninguno, nada, etc.***) may be placed either before or after the verb.*

a. *When they are placed before the verb, a* **no** *is not necessary.*

En mi familia **nadie** usa anteojos.	*Nobody wears glasses in my family.*

b. *When they are placed after the verb, a* **no** *is necessary before the verb.*

En mi familia, **no** usa anteojos **nadie.**	*Nobody wears glasses in my family.*

NOTE: *In spoken Spanish, negative words are usually placed after the verb only when they are the direct complement of the verb.*

Ayer no hicimos **nada.**	*We didn't do anything yesterday.*

c. *Two or more negatives may be used in the same sentence.*

Yo **nunca** firmo **nada** sin leerlo primero.	*I never sign anything without reading it first.*

See PATRONES DEL IDIOMA A.

LECCIÓN XX

The following adjectives have the following corresponding pronouns to avoid repetition of the noun they precede.

Adjectives:	*Pronouns:*
ningún; ninguna, ningunos, ningunas	**ninguno;** ninguna, ningunos, ningunas
algún, alguna; algunos, algunas	**uno, una;** algunos, algunas
todo, toda, todos, todas	todo, toda, todos, todas
poco, poca, pocos, pocas	poco, poca, pocos, pocas
varios, varias	varios, varias

See PATRONES DEL IDIOMA A.

LECCIÓN XXI

1. **a.** *The present participle (*gerundio*) is formed by adding* **-ando** *to the stem of verbs ending in* **-ar** *in the infinitive, and* **-iendo** *to the stem of verbs ending in* **-er** *and* **-ir.**

esper**ar** - esper**ando** llov**er** - llov**iendo** exhib**ir** - exhib**iendo**

b. *When their stem ends in a vowel, a spelling change occurs in* **-er** *and* **-ir** *verbs. The* **i** *of the ending of the present participle changes to* **y.**

llov**er** - llov**iendo**; *but,* le**er** - le**yendo**
exhib**ir** - exhib**iendo**; *but,* o**ir** - o**yendo**

Note: *Verb forms with spelling changes are listed in* **Appendix II.**

2. a. *The verb phrase* **estar** + *present participle (*gerundio*) is used to emphasize an action which is* **going on.**

¿A quién esperas?	*Who(m) are you waiting for?*
Espero al Sr. Gallardo.	*I'm waiting for Mr. Gallardo.*
¿A quién **estás esperando**?	*(Same meaning, but there is more emphasis on the process of the action going on.)*
Estoy esperando al Sr. Gallardo.	

See PATRONES DEL IDIOMA A.

b. *The verb phrase* **estar** + *present participle (*gerundio*) is also used to emphasize a habitual or repeated action which is going on.*

¿Está dando clases de inglés tu primo?	*Is your cousin teaching English?*
Sí, está dando clases de inglés.	*Yes, he's teaching English.*

See PATRONES DEL IDIOMA B, *sentences* 1, 2, *and* 3.

3. *The verb phrase* **andar** + *present participle (*gerundio*) is used to emphasize a habitual or repeated action which is going on, but this repetition is performed* ***off and on, or at different places.***

¿Es cierto que Uds. **andan buscando** departamento?	*Is it true that you're looking for an apartment?*
Sí, **andamos buscando** uno cerca de aquí.	*Yes, we're looking for one near here.*

See PATRONES DEL IDIOMA B, *sentences* 4, 5, *and* 6.

4. *The verb phrase* **seguir** + *present participle (*gerundio*) is used to indicate a habitual or repeated action which is* **still** *going on.*

¿**Sigues trabajando** en Santa Fe?	*Are you still working in Santa Fe?*
Sí, sigo trabajando allá.	*Yes, I'm still working there.*

See PATRONES DEL IDIOMA B, *sentences* 7, 8 *and* 9.

Note: *The verb* **ir** *is never used in these phrases to indicate a momentary action going on. It is only used to indicate a* **customary** *action.*

See PATRONES DEL IDIOMA B, *sentence* 9.

5. *The direct, indirect, and reflexive pronouns may be attached to the present participle (*gerundio*) or may come before the complete verb phrase.*

¿Ya está arreglándo**se** Elena?	*Is Elena getting ready?*
¿Ya **se** está arreglando Elena?	

LECCIÓN XXII

1. *In radical changing verbs ending in* **-ir** *in the infinitive, the present participle (*gerundio*) is irregular. The radical changing vowel* **e** *changes to* **i**, *and the* **o** *to* **u**. *(This verb irregularity is also listed in* **Appendix II**.*)*

invertir - invirtiendo	morir - muriendo
corregir - corrigiendo	dormir - durmiendo
etc.	*etc.*

See PATRONES DEL IDIOMA A.

Note: *The verb* **venir**, *as the verb* **ir**, *is never used in phrases with the present participle (*gerundio*) to indicate a momentary action going on. It is only used to indicate a* **customary** *action.*

See PATRONES DEL IDIOMA A, *sentence* 4.

2. *The verb phrases* **estar, andar, seguir,** + *present participle (*gerundio*) may also be expressed in the preterit (*pretérito*) by stating the verbs* **estar**, **andar seguir,** *in the preterit tense.*

See PATRONES DEL IDIOMA B.

LECCIÓN XXIII

1. *The verb phrases* **estar, andar, seguir,** + *present participle (*gerundio*) may also be expressed in the imperfect (*copretérito*) by stating the verbs* **estar, andar, seguir,** *in the imperfect tense.*

See PATRONES DEL IDIOMA B.

2. *The verb phrases* **estar, andar, seguir** + *present participle (*gerundio*) may be combined with verb phrases like* **pensar, querer, tener que,** *etc.,* + *infinitive (*infinitivo*).*

See PATRONES DEL IDIOMA C.

LECCIÓN XXIV

1. *The following demonstrative adjectives have the following corresponding demonstrative pronouns to avoid repetition of the nouns they precede.*

Adjectives:	*Pronouns:*
este, esta, estos, estas	éste, ésta, éstos, éstas
ese, esa, esos, esas	ése, ésa, ésos, ésas
aquel, aquella, aquellos, aquellas	aquél, aquélla, aquéllos, aquéllas

See PATRONES DEL IDIOMA A, *sentences* 1 *and* 3.

2. a. *Comparative degree of adjectives is expressed by* **más (menos)** + *adjective* + **que.**

Esa tela es **más** barata **que** ésta.	*That material is cheaper than this.*
El profesor de geografía era **menos** severo **que** el de historia.	*The geography professor was less strict than the history professor.*

b. *Superlative degree of adjectives is expressed by* **el (la, los, las)** + **más (menos)** + *adjective* + **de.**

Aquella tela es **la más** barata **de** todas.	*That material is the cheapest of all.*
El profesor de química era **el menos** severo **de** todos.	*The chemistry professor was the least strict of all.*

See PATRONES DEL IDIOMA A, *numbers* 1 *and* 2.

3. *The following comparative and superlative forms are irregular:*

mejor, mejores	*better*
el (la) mejor, los (las) mejores	*the best*
peor, peores	*worse*
el (la) peor, los (las) peores	*the worst*
mayor, mayores	*older*
el (la) mayor, los (las) mayores	*the oldest*
menor, menores	*younger*
el (la) menor, los (las) menores	*the youngest*

See PATRONES DEL IDIOMA A, *numbers* 3, 4, 5 *and* 6.

4. a. *Comparative degree of quantity is expressed by* **más (menos)** + *noun* + **que.**

Tú consigues **más** contratos **que** el Ing. Ortiz.	*You close more contracts than Mr. Ortiz.*
El Sr. Orozco vende **menos** seguros **que** el Sr. Ruiz.	*Mr. Orozco sells fewer insurance policies than Mr. Ruiz.*

b. *Superlative degree of quantity is expressed by* **más (menos)** + *noun* + **que** + **nadie (ninguno,** *etc.*)

Consigues **más** contratos **que nadie.**	*You close more contracts than anyone.*
El Sr. Orozco vende **menos** seguros **que ningún otro agente.**	*Mr. Orozco sells fewer insurance polices than any other agent.*

See PATRONES DEL IDIOMA B.

5. **a.** *Comparative degree of adverbs is expressed by* **más** + *adverb* + **que.**

El Sr. Cárdenas habla **más** despacio **que** el Sr. Guzmán.	*Mr. Cárdenas speaks slower than Mr. Guzmán.*

b. *Superlative degree of adverbs is expressed by* **más** + *adverb* + **que** + **nadie** *(***ninguno,** *etc.)*

El Sr. Cárdenas habla **más** despacio **que ninguno de mis socios.**	*Mr. Cárdenas speaks the slowest of any of my business partners.*

See PATRONES DEL IDIOMA C, *numbers* 1 *and* 2.

6. *The following comparative forms of adverbs are irregular:*

mejor *better* **peor** *worse*

See PATRONES DEL IDIOMA C, *numbers* 3 *and* 4.

7. *Comparison of quantity with verbs is expressed by* **verb** + **más (menos)** + **que.**
See PATRONES DEL IDIOMA C, *numbers* 5 *and* 6.

LECCIÓN XXV

1. *The regular past participle (***participio***) is formed by adding* **-ado** *to the stem of verbs ending in* **-ar** *in the infinitive, and* **-ido** *to the stem of verbs ending in* **-er** *and* **-ir** *in the infinitive.*

trabaj**ar** - trabaj**ado** leer - leído vivir - vivido

Note: ir - ido (*to go - gone*)

2. *The present perfect (***antepresente***) is formed by the present of* **haber** + *the past participle (*participio*) of the main verb.*

TRABAJAR

he trabajado
has trabajado
ha trabajado
hemos trabajado
han trabajado

3. *The present perfect (*antepresente*) is used to indicate:*

a. *That something expected has not yet occurred.*

No hemos podido encontrar las refacciones.	*We haven't been able to find the automobile parts.*

See PATRONES DEL IDIOMA A, *sentences* 1, 4, 7 *and* 10.

b. *That something began in the past and continues in the present.*

Leonor siempre me ha caído bien. *I've always liked Leonor.*

See PATRONES DEL IDIOMA A, *sentences* 2, 5, 8 *and* 11.

c. *Simply that something has happened once or several times in the past, without specifying when.*

A María Eugenia se le ha perdido la bolsa varias veces. *María Eugenia has lost her purse several times.*

See PATRONES DEL IDIOMA A, *sentences* 3, 6 *and* 9.

4. *Direct, indirect and reflexive pronouns are placed before the verb* **haber.**

No **me** he desayunado todavía. *I haven't had breakfast yet.*

However, when using verb phrases with infinitive or gerund, they may also be attached to the infinitive or gerund.

Te he estado llamando toda la mañana. *I've been phoning you all morning.*
He estado llamándo**te** toda la mañana.

5. a. *The present perfect (*antepresente*) is used in the negative interrogative form to ask whether or not something has occurred.*

¿**No han acabado** de pintar la casa los pintores? *Haven't the painters finished the house yet?*

b. *The present perfect (*antepresente*) is used to answer the above questions in the negative.*

No, **no han acabado** todavía. *No, they haven't finished yet.*

c. *The preterit (*pretérito*) is used in Latin America to answer these questions in the affirmative.*

Sí, ya **acabaron.** *Yes, they've already finished.*

See PATRONES DEL IDIOMA B, *sentences* 6 *and* 7.

6. *The preterit (*pretérito*), in the affirmative interrogative form, is used in Latin America to ask whether or not something has occurred.*

¿Ya **se bañaron** los niños? *Have the children taken their baths yet?*

See PATRONES DEL IDIOMA B, *sentence* 7.

LECCIÓN XXVI

Certain verbs are irregular in their past participle form. Examples:

abrir	- **abierto**	inscribir	- **inscrito**
decir	- **dicho**	morir	- **muerto**
descomponer	- **descompuesto**	poner	- **puesto**
devolver	- **devuelto**	resolver	- **resuelto**
escribir	- **escrito**	romper	- **roto**
hacer	- **hecho**	ver	- **visto**
		volver	- **vuelto**

See PATRONES DEL IDIOMA A.

Note: *Verbs with an irregular past participle used in this book are listed in* ***APPENDIX II.***

LECCIÓN XXVII

1. *The past perfect (***antecopretérito***) is formed by the imperfect (*copretérito*) of* **haber** *+ the past participle (*participio*) of the principal verb.*

VER

había visto
habías visto
había visto
habíamos visto
habían visto

2. *The past perfect (*antecopretérito*) is used to indicate a past action that occurred before another action in the past.*

Como yo ya **había visto** la obra, no **fui** con los muchachos al teatro.	*Since I'd already seen the play, I didn't go to the theater with the boys.*

See PATRONES DEL IDIOMA A.

3. *Direct, indirect, and reflexive pronouns are placed before the verb* **haber.** *However, when using verb phrases with infinitive or gerund, these pronouns may also be attached to the infinitive or gerund.*

See PATRONES DEL IDIOMA A.

4. *The past perfect (*antecopretérito*) always indicates a past action that occurred before another action in the past, even though this other action is not expressed, but only understood.*

No **había hablado** con Ernesto desde que volvió de Francia. (Ayer hablé con él.)	*I hadn't talked with Ernesto since he got back from France. (I talked with him yesterday.) (This action is understood.)*

See PATRONES DEL IDIOMA B.

LECCIÓN XXVIII

a. *The comparison of equality of adjectives is expressed by* **tan** + *adjective* **+ como.**

El coche de Jorge es **tan** chico **como** el de Arturo.	*Jorge's car is as small as Arturo's.*

b. *The comparison of equality for quantity with nouns is expressed by* **tanto (tanta, tantos, tantas)** + *noun* + **como.**

Yo tomé **tanta** limonada **como** tú.	*I drank as much lemonade as you did.*

c. *The comparison of equality of adverbs is expressed by* **tan** + *adverb* + **como.**

Ninguno de nosotros puede hablar **tan** aprisa **como** el maestro.	*None of us can speak as fast as the teacher.*

d. *The comparison of equality for quantity with verbs is expressed by* **verb + tanto + como.**

Nunca nos habíamos divertido **tanto como** ahora.	*We've never had as much fun as we're having now.*

See PATRONES DEL IDIOMA A.

APPENDIX II

I. Forms of regular verbs

(Present, preterit, imperfect tenses; present and past participles)

II. Orthographic changes

III. Verb Irregularities

IV. List of verbs used in this book

I. Forms of regular verbs

HABLAR	COMER	RECIBIR

Presente
Present

hablo	como	recibo
hablas	comes	recibes
habla	come	recibe
hablamos	comemos	recibimos
hablan	comen	reciben

Pretérito
Preterit

hablé	comí	recibí
hablaste	comiste	recibiste
habló	comió	recibió
hablamos	comimos	recibimos
hablaron	comieron	recibieron

Copretérito
Imperfect

hablaba	comía	recibía
hablabas	comías	recibías
hablaba	comía	recibía
hablábamos	comíamos	recibíamos
hablaban	comían	recibían

Gerundio
Present Participle

hablando	comiendo	recibiendo

Participio
Past Participle

hablado	comido	recibido

II. Orthographic changes

They are simply spelling conventions in order to conserve the original consonant sound of a stem.

1. *A* **c** *before an* **a** *or* **o** *is pronounced K as in "cat".*
   A **qu** *before an* **e** *or* **i** *is pronounced K as in "cat".*

explicar	expli**qué**	explicamos
	explicaste	
	explicó	explicaron

2. *A* **z** *before an* **a** *or* **o** *is pronounced S as in "sit".*
   A **c** *before an* **e** *or* **i** *is pronounced S as in "sit".*

cruzar	cru**cé**	cruzamos
	cruzaste	
	cruzó	cruzaron

3. *A* **g** *before an* **a** *or* **o** *is pronounced G as in "get".*
   A **gu** *before an* **e** *or* **i** *is pronounced G as in "get".*

pagar	pa**gué**	pagamos
	pagaste	
	pagó	pagaron

4. *A* **g** *before an* **e** *or* **i** *is pronounced H as in "hall".*
   A **j** *before an* **a** *or* **o** *is pronounced H as in "hall".*

escoger	esco**j**o	escogemos
	escoges	
	escoge	escogen

5. *A* **gu** *before an* **a** *or* **o** *is pronounced GW as in "penguin".*
   A **gü** *before an* **e** *or* **i** *is pronounced GW as in "penguin".*

averiguar	averi**güé**	averiguamos
	averiguaste	
	averiguó	averiguaron

6. *An unaccented* **i** *between any two vowels is changed to* **y**.

construir	construí	construimos	constru**y**endo
	construiste		
	constru**y**ó	constru**y**eron	

III. Verb Irregularities

Irregular verbs have one or more of the following irregularities:

(1) *Some verbs ending in* **-ar** *and* **-er** *in the infinitive form, change the last vowel of the stem whenever it is stressed. The vowel* **o** *becomes* **ue** *and the vowel* **e** *becomes* **ie.**

almorzar	alm**uer**zo alm**uer**zas alm**uer**za	almorzamos alm**uer**zan
cerrar	c**ier**ro c**ier**ras c**ier**ra	cerramos c**ier**ran
devolver	dev**ue**lvo dev**ue**lves dev**ue**lve	devolvemos dev**ue**lven
entender	ent**ie**ndo ent**ie**ndes ent**ie**nde	entendemos ent**ie**nden

(2) *Some verbs ending in* **-ir** *in the infinitive form, change the last vowel of the stem whenever it is stressed in the present tense. The vowel* **o** *becomes* **ue**, *the vowel* **e** *becomes* **ie**, *and, in other verbs, the vowel* **e** *becomes* **i.**

In addition, the vowel **o** *becomes* **u** *and the vowel* **e** *becomes* **i** *in the third person, singular and plural, of the preterit tense, and in the present participle.*

dormir	d**ue**rmo d**ue**rmes d**ue**rme dormimos d**ue**rmen	dormí dormiste d**u**rmió dormimos d**u**rmieron	d**u**rmiendo
invertir	inv**ie**rto inv**ie**rtes inv**ie**rte invertimos inv**ie**rten	invertí invertiste inv**i**rtió invertimos inv**i**rtieron	inv**i**rtiendo
pedir	p**i**do p**i**des p**i**de pedimos p**i**den	pedí pediste p**i**dió pedimos p**i**dieron	p**i**diendo

(3) *Some verbs have an irregular form in the first person singular of the present tense.*

conocer	**conozco**	conocemos
	conoces	
	conoce	conocen

(4) *Verbs ending in* **-uir** *in the infinitive form add a* **y** *before the ending in all persons except in the first person plural, in the present tense.*

construir	constru**yo**	construimos
	constru**yes**	
	constru**ye**	constru**yen**

(5) *Some verbs are irregular both in stem and endings in the preterit tense.*

andar	**anduve***	**anduv**imos
	anduviste	
	anduvo*	**anduv**ieron
caber	**cupe***	**cup**imos
	cupiste	
	cupo*	**cup**ieron
venir	**vine***	**vin**imos
	viniste	
	vino*	**vin**ieron

* *Notice that these endings are not stressed, as in regular verbs.*

In addition, verbs with an irregular stem ending in **j** *drop the* **i** *from the third person plural ending.*

traer	**traj**e	**traj**imos
	trajiste	
	trajo	**trajeron**

(6) *The verb* **dar** *takes regular* **-er** *and* **-ir** *endings in the preterit.*

dar	di	dimos
	diste	
	dio	dieron

(7) *There are three irregular verbs in the imperfect:* **ir, ser, ver.**

ir	iba	ser	era	ver	veía
	ibas		eras		veías
	iba		era		veía
	íbamos		éramos		veíamos
	iban		eran		veían

(8) *Some verbs have irregular past participles.*

IV. List of verbs used in this book

The number in parentheses corresponds to irregularity described in III, above, Verbs marked with * are orthographic changing as described in II, above. Verb forms marked with ** are not used in this book.

abrir - *to open*
(8) abierto

acabar - *to finish*

aceptar - *to accept*

acostar - *to put to bed*
(1) acuesto

acostarse - *to go to bed*
(1) me acuesto

almorzar * - *to have lunch*
(1) almuerzo

andar - *to walk, go around*
(5) anduve

apagar * - *to turn off*

aprender - *to learn*

aprobar - *to approve*
(1) apruebo

arreglar - *to arrange, fix*

arrepentirse - *to regret*
(2) me arrepiento
se arrepintió
arrepintiéndose

asegurar - *to assure*

averiguar * - *to find out*

ayudar - *to help*

bailar - *to dance*

bajarse - *to come down, get off*

bañar - *to bathe*

bañarse - *to take a bath*

barrer - *to sweep*

buscar * - *to look for*

caber - *to fit*
(3) quepo
(5) cupe

caerse * - *to fall down*
(3) me caigo

cambiar - *to change*

caminar - *to walk*

cantar - *to sing*

casarse - *to get married*

cenar - *to dine*

cerrar - *to close*
(1) cierro

cocinar - *to cook*

comer - *to eat, have lunch*

comprar - *to buy*

conocer* - *to know, meet*
(3) conozco

conseguir * - *to get*
(2) consigo
consiguió
consiguiendo

construir * - *to build*
(4) construyo

contestar - *to answer*

contar - *to tell (a story)*
(1) cuento

convenir - *to be convenient*
(2) conviene
conviniendo
(3) convengo**
(5) convino

corregir * - *to correct*
(2) corrijo
corrigió
corrigiendo

costar - *to cost*
(1) cuesta

creer * - *to believe, think*

cruzar * - *to cross*

cumplir - *to fulfill, have a birthday*

dar - *to give*
(3) doy
(6) di

darse cuenta de - *to realize*
(3) me doy cuenta de
(6) me di cuenta de

deber - *to owe*

decidir - *to decide*

decir - *to say, tell*
(2) dice
diciendo
(3) digo
(5) dijeron
(8) dicho

dejar - *to leave something*

desayunarse - *to have breakfast*

descansar - *to rest*

descomponerse - *to get out of order*
(3) descompongo**
(5) se descompuso
(8) descompuesto

despedirse de - *to say good-bye to*
(2) me despido
se despidió
despidiéndose

despertar - *wake someone up*
(1) despierto

despertarse - *to wake up*
(1) me despierto

divertirse - *to have a good time*
(2) me divierto
se divirtió
divirtiéndose

devolver - *to return something*
(1) devuelvo
(8) devuelto

distribuir * - *to distribute*
(4) distribuyo

doler - *to hurt, ache*
(1) duele

dormir - *to sleep*
(2) duermo
durmió
durmiendo

dormirse - *to go to sleep*
(2) me duermo
se durmió
durmiéndose

echar de menos - *to miss someone, something*

echarse a perder - *to spoil*

empezar * - *to start, begin*
(1) empiezo

encender - *to light, turn on*
(1) enciendo

encontrar - *to find*
(1) encuentro

enfriarse - *to get cold*

enojarse - *to get mad*

entender - *to understand*
(1) entiendo

entrar - *to enter*

entregar * - *to deliver*

escoger * - *to choose*

esconder - *to hide*

escribir - *to write*
(8) escrito

esperar - *to wait for*

estar - *to be*
(3) estoy, estás
(5) estuve

estudiar - *to study*

exhibir - *to exhibit*

explicar - *to explain*

faltar - *to be absent, be lacking*

fijarse - *to notice, pay attention*

firmar - *to sign*

formar - *to form*

fumar - *to smoke*

gustar - *to be pleasing*

haber - *(see conjugation at the end of this list)*

hablar - *to speak, talk*

hacer * - *to do, make*
(3) hago
(5) hice
(8) hecho

inscribir - *to register*
(8) inscrito

inscribirse - *to register*
(8) inscrito

interesar - *to be interesting*

invertir - *to invest*
(2) invierto
invirtió
invirtiendo

invitar - *to invite*

ir - *(see conjugation at the end of this list)*

jugar * - *to play a game*
(1) juego

lavar - *to wash*

lavarse - *to wash (oneself)*

leer * - *to read*

levantarse - *to get up*

llamar - *to call, phone*

llamarse - *to be named*

llegar * - *to arrive*

llenar - *to fill*

llevar - *to take*

llover - *to rain*
(1) llueve

mandar - *to send*

manejar - *to drive*

mentir - *to lie*
(2) miento
mintió
mintiendo

merendar - *to have a light supper*
(1) meriendo

morir - *to die*
(2) muero
murió
muriendo
(8) muerto

nacer * - *to be born*
(1) nazco**

nadar - *to swim*

necesitar - *to need*

obedecer * - *to obey*
(3) obedezco

ocurrir - *to occur*

oir * - *to hear, listen*
(3) oigo
(4) oyes

olvidar - *to forget*

pagar * - *to pay*

parecer * - *to seem*
(3) parezco

parecerse * - *to look like, resemble*
(3) me parezco

pasar - *to pass, spend time*

pedir - *to ask for*
(2) pido
pidió
pidiendo

pegar * - *to hit*

peinarse - *to comb one's hair*

pensar - *to think, plan*
(1) pienso

perder - *to lose*
(1) pierdo

perderse - *to get lost*
(1) me pierdo

permitir - *to permit*

pintar - *to paint*

planchar - *to iron*

poder - *can, to be able to*
(1) puedo
pudiendo**
(5) pude

poner - *to put*
(3) pongo
(5) puse
(8) puesto

ponerse - *to put on*
(3) me pongo
(5) me puse
(8) puesto

practicar * - *to practice*

preferir - *to prefer*
(2) prefiero
prefirió
prefiriendo

preguntar - *to ask a question*

preparar - *to prepare*

presentar - *to introduce*

prestar - *to lend*

producir * - *to produce*
(3) produzco
(5) produjeron

prohibir - *to prohibit*

quedarse - *to stay, remain*

quejarse - *to complain*

quemarse - *to burn*

querer - *to want, love*
(1) quiero
(5) quise

quitarse - *to take off, stop*

recibir - *to receive*

recibirse - *to graduate, get a degree*

recorrer - *to tour*

recordar - *to remember*
(1) recuerdo

reírse - *to laugh*
(2) me río
se rió
riéndose

rentar - *to rent*

repetir - *to repeat*
(2) repito
repitió
repitiendo

resolver - *to solve*
(1) resuelvo
(8) resuelto

romper - *to break, tear*
(8) roto

saber - *to know, find out*
(3) sé
(5) supe

sacudir - *to dust*

salir - *to leave, go out*
(3) salgo

saludar - *to greet*

seguir * - *to follow, continue*
(2) sigo
siguió
siguiendo

sentarse - *to sit down*

(1) me siento

sentirse - *to feel*
(2) me siento
se sintió
sintiéndose

ser - *(see conjugation at the end of this list)*

servir - *to serve, be useful*
(2) sirvo
sirvió
sirviendo

simpatizar - *to be pleasing*

sobrar - *to be left over*

solicitar - *to apply*

sonar - *to ring*
(1) suena

sonreir - *to smile*
(2) sonrío
sonrió
sonriendo

subirse - *to go up, get on (in)*

tardarse - *to take time*

tener - *to have*
(1) tienes
(3) tengo
(5) tuve

terminar - *to finish, be over*

tomar - *to take, drink*

trabajar - *to work*

traducir * - *to translate*
(3) traduzco
(5) tradujeron

traer * - *to bring*
(3) traigo
(5) trajeron

usar - *to use*

vender - *to sell*

venir - *to come*
(2) vienes
viniendo
(3) vengo
(5) vine

ver - *to see, look, watch*
(3) veo
(7) veía
(8) visto

vestir - *to dress*
(2) visto
vistió
vistiendo

vestirse - *to get dressed*
(2) me visto
se vistió
vistiéndose

visitar - *to visit*

vivir - *to live*

volver - *to come back*
(1) vuelvo
(8) vuelto

	HABER	IR	SER
Presente	he	voy	soy
	has	vas	eres
	ha, hay***	va	es
	hemos	vamos	somos
	han	van	son
Pretérito		fui	fui
		fuiste	fuiste
	hubo***	fue	fue
		fuimos	fuimos
		fueron	fueron
Copretérito	había	iba	era
	habías	ibas	eras
	había, había***	iba	era
	habíamos	íbamos	éramos
	habían	iban	eran
Gerundio	habiendo***	yendo*	siendo
Participio	habido***	ido	sido

*** *Refers to conjugation of* **haber** *meaning there is, are, etc.*

Impresor: Fomento Educacional, A. C.
Río Marne Nº 19-402
México 5, D. F.

Primera edición: febrero de 1959 - 2,000 ejemplares

Segunda edición modificada y adicionada: julio de 1965 - 3,000 ejemplares

12a. reimpresión de la segunda edición modificada y adicionada: .
diciembre 8, 1975 - 4,000 ejemplares